こちら葛飾区亀有公園前派出所 ①

集英社文庫

こちら葛飾区亀有公園前派出所①

目次

麗子《れいこ》の大胆写真集《だいたんしゃしんしゅう》!?の巻《まき》

警察官募集
写真コンテスト結果発表
一般の部
金賞
銀賞
銅賞
小学生の部
金賞
もうちょい賞
くそ!また落選か!
今月も応募したんですか
今回は自信があったんだがな!
LENSES
フォトカメラ
金賞で5万円だ!なん度か入選した事がある
いろんなフォト・コンテストに出すとけっこう入賞するんだ!
フィルム現像送料込みで一枚あたり100円程度だろ!
100枚送っても1万円程度だ
そのうち一枚でも入賞すればなん万円か手に入る!
趣味を生かしたバイトだよ

以前も漫画を描いていたわね！
そういう事はけっこうマメにやるからね
えっ 私がカメラマンに！
葛飾《かつしか》署の機関誌なんだ
カメラ担当の巡査が ほかへ配属されてしまってね
カメラに詳しい両《りょう》さんが適任なんだ
適任なんてそうかな！まっ 自信はあるけど！
ははは
ぜひスタッフに加わってくれ
こんなバカがスタッフに入って大丈夫かね
とんでもない！大丈夫ですよ

私の芸術的写真を理解していただきありがたい！協力しましょう！
よろしくお願いします
ギュッ
私は機材にうるさい男でねフィルムは日本のを使わない！
ドイツ製のデバルトゲンバラシュー・マッハフィルムしか使わん！
いつも銀座《ぎんざ》のカメラ店で取りよせてる一本9,000円の高価なフィルムだ！
とりあえず5本分だな！45,000円支給してもらいたい！
早くもたかりはじめた…
り合い
さっそく取材に行ってくれ！
はい
今週号
葛飾署新聞
警察官健康Q&A
短歌コーナー
署長バンザイ！
上司の言葉
葛飾署に歴史あり
俳句コーナー
今週の人
交通課インタビュー
じゃあ行ってきます！
よろしく頼む

「今週の人」今回は人事課長の石井《いしい》さんだ
なるほど
うーむ かたすぎるな…
ちょっとメガネを
スッ
クイ
こうかけて下さい！
すごく親しみが出てきた！
こら！
まじめなコーナーなんだからダメだよ
だからかたくてだれも読まないんだぞ！
ここはいいから次のを先に撮ってきて！
婦警の剣道練習か！
こっちのがいい

おっ
やってる
やってる
タァ
ビシ
バシ
「葛飾署新聞」の
カメラマン
両津《りょうつ》です
パーン
ちょっと
撮らせて
いただきます!
ここは
スロー
シャッターで
動きを
表現しよう
さすが
芸術家!
Nikon
あっ
きゃあ
シ
ぬおっ
ドン
気をつけて!
カメラマン
さん
あっ
麗子《れいこ》
美人がいなくて
どうしようかと
思っていたんだ
やっと
絵になる!
そこへ
立って!

うーむ
あまり面白くないな…
そのまますわってみてくれ
えっ？こう
ちょっと足をくずすんだ楽に！
そういい！
左手の指を少しかむ！そう！
ちょっとすそをまくった方がいいな
えっ!?
そのポーズ最高!!
なんか変じゃない!?
ボーン
広報課
うーむ
どこが剣道の練習なんだ

とても掲載できる写真じゃない
やはり
あっ
葛飾署新聞
わしの写真がない!
くそ〰〰ボツにしやがったな
なんでボツなんですか!
広報課
だめだ!あんな写真!
アイドル顔まけの美人ばかりですよ!!
我が新聞はアイドル写真集じゃない
今週は街のアキカン問題についてだ
放置してるアキカンの写真を撮ってきてくれ
誰も読まんぞそんな記事!!
ガラ
お待ちどおさま
来々軒
くそ!
編集長がつまらなくしてる原因だ!
ガリ ガリ
まず元から絶たねばいかん!

えっ 編集長が入院!?
広報課
腹痛で 突然 苦しみだして…
誰かが 編集長代理を やらねば いかんな
よろしい 今週は 私がやろう
えっ
両さんが!
さっそく 前回ボツになった私の写真を持ってきなさい
はい
ほら!
新署飾
実に 華やかじゃないか
記事が 少なくなるが…
いいんだ たまには こういう形も
ビジュアルの時代だからね 現代は!
安全運動
警視庁

おお なんだ!
今週号は すごいぞ
署新聞
葛飾署
剣道美女大特集
PHOTO 本誌 チャパ西津
人気投票受付中 応募は編集部まで (応募者の中から抽選で10名
1 秋本麗子巡査
4 江川椎子巡査
2 井上栄子巡査
3 上科美奈子巡査
5 小川提子巡査
うちの署にも こんなに 美人が いたのか?
うーむ 身近すぎて 気づかなかった
やだぁ あんな風に 写ってた なんて…
盗み撮りも してたのね
大反響 ですよ!
広報課
1階から4階まで 新聞のまわりは 人だかりです
お知らせ
階段に 貼ったのは すでに 取られた そうです
うーむ 信じられん な!
あの すいません
ガラ
新聞 余って ませんか

ありますけど…
やったよかった
ラッキー
新聞をもらいに来るとは…
こんな事創刊以来 初めてだろうな…
ふふふわかったかね!
あっ
大衆が何を求めているのか…
以前はほとんど読まれていなかったからね あの新聞!
なるほどさすが娯楽王の両さんだ!
読者のハートをつかんでるな
この「今週の人」今回で中止だから
えっ
来週からここは「競馬コーナー」にする
えっ!?
競馬!?
読まれない記事などスペースのムダだ!
「上司の言葉」も中止! わしの連載漫画を載せる!
紙面が大きく変わっていく…

なんだこれは
葛飾署新聞
BEAUTIFUL GIRLS COLLECTION vol.1
連載まんが おまわりくん
PLAYZONE
パチンコ必勝
出る台をねらえ!
今週の美女 No.1
青山署交通課 白石さやか巡査 (23)
公道のさわやかな涼風
競馬予想
本線②⑧
これで決まりだ!
間違いなく両津の仕業だ…
まるでスポーツ新聞みたいだ…
ガヤ ガヤ ガヤ
ドン ドン
こら! 両津!
話がある出てこい!
両さん! 署長が…
ドン ドン
ほっておけ!
言論の自由だ! 弾圧などに屈してはいかん!
来週号より全面カラーにする
えっ カラーに
えー
しかし予算が…
心配いらん スポンサーを見つけてきた!
広告料で経費など軽く補《おぎな》える!
独身の男から掲載料をとり「お見合いコーナー」も開設した
これからは総合情報紙を目指していく
どんどん変わっていく…

なに!
POLICE TIME
お見合いコーナー
このコーナーに関する関係を当方は一切負いません
吉祥寺署 木座野部郎
世の中ブランドが全てさベイビー!!
仙川署 細井太郎
世界の終わりについて語り合いましょう
高円寺署 パン寺一門池
ヘーイオレっちはノリノリのパンク野郎さ
北千住署 太田食道
ケーキ好き 食べるの好き 一緒に食べる 食べる
ロボット交番 ロボ215号
メカの私にも愛を!!
銀座署 集収宅夫
切手交換からはじめましょう
掲載料一行 1,000より
広告についてのおたずね・お問い合わせは編集部まで
時給 750円~
時給 850円
時給 1200円
時給 900円~
時給 面接によって決定
時給 800円
アルバイト ニュース バイトーくん
ジュース 酢 醤油 酒
年中無休 毎日配達
酒の山田屋
ラジコン
Nゲージ
プラモデル
ファミコン
男のロマンを売る店
ホビーショップ
プラモ尾崎
懐かしい香りのする店
駄菓子屋 甘味
わーい ステキー
集まれチビッ子
おさるのマークが目印
半分以上広告でうまっている…
もはや警察の機関紙でもなんでもない
ガヤ
ガヤ
編集長 先週のアンケートの結果が出ました
うむ
スケジュール表
編集長
婦警のフォト特集がダントツ人気だな
中でも麗子巡査の人気が…
よろしい! 読者の要望に応えるのが我が新聞の方針だ
さっそく来週号は麗子特集だ
えっ? 私の写真を撮るの?
よりよい葛飾署新聞を作るためだ!

署員として署の新聞に協力するのは当然だろ！
それはそうだけど
日常も撮るの？
ボン
そのとおり
素顔の麗子がいいんだ
おお!!
今週号は麗子巡査特集だ！
麗子巡査特集号
24時間密着取材敢行
ポスター(B2)￥2500
内容に関するお問い合わせは編集部まで
50名に特別プレゼント
REIKO '92
REIKO Q&A
写真一枚しか使わないと言ってたのに…
全面特集よ！
他の署からも噂を聞きかなりの数が見に来てますよ
広報課
ガヤ
ガヤ
ガヤ
他の署も新聞をわけてほしいと廊下に集まっていますが…
うーむ想像以上の人気だ
ガヤ
ガヤ
これはひょっとして
この人気をお金にかえられるかも知れん

ガラ
君達
もし麗子の写真集が出たら買うかね
そりゃあ買うよ
絶対買うよな
ガヤ
ガヤ
ほう!
じゃあいくらぐらいなら買ってもいいのかな?
値段か…
そうだな2,000円…
ガヤ
ガヤ
3,000円までなら出《だ》すな
うん!俺も出す
ほ ほう…
ピクッ
一冊3,000円ね
ヌードが入ってたら5,000円でもいいな
そりゃあもう!
ザワ
ザワ
なに!
本当かその言葉
あいたた
麗子巡査は男子署員のあこがれだから5,000円ぐらいは出すよな
絶対買うよ!
ザワ
ザワ
ほほほほぉ〜〜〜
いいデータになったよ〜君達!!
出るんですか写真集!?
どうなんです?

写真集が出るぞ!!
すごい!!ヌードもあるぞ!!
今週の車自慢
中川巡査
ランボルギーニディアブロ
ついに見せた麗子巡査の女体!!
麗子写真集「ヨンタフェ」
ヌード有り
ヨンタフェ
予価5000円
ただ今予約された方にテレカ生写真などプレゼント!!
広報課前にて予約受付中!!
POLICE TIME特別編集
本当にヌードを撮ったの?
勝手に書いたのよ!もう!
おさないでみなさん!
申し込み予約金はこちらで扱います
広報課
麗子写真集「ヨンタフェ」予約受付中
ガヤ
ガヤ
ガヤ
いやあ300人の予約金だけですでに150万円になった!すごい
これはおいしい商売だ
ガヤ
ガヤ
ごふっ!!
いきなり何をするんだ!
もう許せないわ
どういう事なのよあれは!
どういう事って…
ああいう事だよ!

署員の要望により写真集を出すんだ! 協力しろ!
ヌードなんかにならないわよ!
セミヌードでいいから…
がふっ!!
本当に写真集出せるのか?
じ～ん
あいつつ……
心配いらん 初めはだれでも拒否する
絶対口説きおとす!
がんばって下さい!
ガヤ ガヤ
麗子さん先輩とは絶交だと言ってますよ
しかしわしは負けないぞ!
国民には知る権利がある!
わしはジャーナリストとして 最後まで頑張る!
うーむ 本気できらわれてしまったな!
その知る権利とは全然 別の意味ですが…
たとえどんな手を使っても
読者の要望には応える主義だ!

チャポーン
ふふふっ
ガサ
このCCD《シーシーディー》
カメラなら
どこでも
のぞける
ビデオから
高画質プリンターで
プリントし写真集に
載せる！
実に
頭がいい
マリアに聞いた
情報によれば
今日 麗子が来て
入浴している
はずだ
ちょっと
のぞいて…
ヌッ
おお
バッチリ
こ これは
すごい
すばらしい
写真集に
なるぞ
あら？
何かしら
え？

ほら これよ！
げ！
は 鼻血が…
ブッ
あっ その声は
やはり 両ちゃん
きゃあ
し しまった
安全運動
警視
編集長みずから トップ記事に なってしまう とは
葛飾署新聞
両津ハレンチ行為！
女湯のぞく
婦警たちのつけたアダ名『けだもの』を地で行く行為 編集長クビ!!
減俸！謹慎3ヶ月
『ヨンタフェ』発売中止!!
予約金すべて払いもどし！
人気アンケート
婦警100人 きらわれ度 100% 両津巡査 ダントツ!!
これでやっと 来週から まともな新聞に もどるよ
ガヤ
ガヤ
予約申込書
ヨンタフェ

★週刊少年ジャンプ1992年30号

C《キャッチ》・S《セールス》に御用心《ごようじん》!?の巻《まき》

キャッシュレス時代の歪《ひずみ》が出て来たな
こども新聞
カード破産増える
若者中心に急増
若者1人20万円
最高800万円の若者も
若者のカード所有率
もっている
ほしい物がすぐ買える
キャッシュレス時代！
旅行も結婚もすべてローンで
現金は持たない主義！
好景気が拍車をかけていましたからね
無計画に使いまくっているからな！若者は!!
ズズ
はい！
ええいますよ
警らの板池《いたいけ》さんからよ
ほう珍しいな！

よう元気か!
なに金のことで相談があるだと
仕事の帰りアパートによってやるよ!
金は無計画に使ってはいかんぞ!
自分自身に言い聞かせるべきですね
身のほど知らずの大バカ者め
近ごろ署で会わないからな
何かあったのかな
あっ
板池
あいつの身に何かあったか!?
ん!ドアは開く!?

ぬおっ
なんだこの部屋は!
DING
50万
たまる
おーい板池! いるのか?
いるよ〜〜っ
アンテナ
梱包されたままの荷物が多いな!
どういうわけだ!?
SHUE
カラーTV
うわ
ガチャ
ガチャ
SAMY

大丈夫ですか先輩!!
カセットのなだれにつぶされた!
ガチャ
ガチャ
ガチャ
なんだ!
英会話の教材カセット!?
英会話AtoZ
旅行編
英語の先生になる気か!? こんなにたくさん
つい買わされてしまって…
必要ないなら断ればいいだろ!
断ると相手に悪いから…
いろんなメーカーのがあるな! 全部教材カセットか!
教材だけじゃないんです
中国語
クラシックから民謡・浪曲ラテン・落語まで送られてきて…
まるでレコード屋だな!
カラオケ
クラシック大全集
民謡
クラシック
ラテン
ジャズ
落語
浪曲
アニメ
特
まあいいや!
それより新聞を何日間もためるな! 何かあったと思うだろ!!

一回分なんですよあれで！
12種類の新聞を取ってるんです
もう毎日どんどんたまって…捨てるのが大変で！
なんでそんなに取るんだよ
減らせよ少し！
洗剤やいろいろくれるから断ると悪いし…
いいんだよ断っても！
ドン
まだ新聞は薄いからいい方です
外にあるのか？
美術全集などが大変なんです大きくて
これらが毎月 20冊ずつ送られてくるから
全100巻のはもう 置く場所がありません！
昔 通販でそういうのがあったな
突然 自宅に無料で図鑑が送られてきてな
一冊タダでもらった手前つい申し込んでしまうわけだ！

それと同じだ
タダでいろいろ送ってくるんですよ
手紙なども毎日こんなに…
ゴツッ
こんなにくるのか!?
みんな 中には返信用ハガキが入っていて…
うむ
株式会社 集英堂 販売部 行
これを出すと必ず品物が届くんです!
あたり前だ! 申し込みハガキだぞ!
何日以内に出してくれと書いてあるし… 返事出さないと悪いから…
いいんだよ 返事なんか出さなくても!
そんな事をするから部屋が品物でいっぱいになるんだぞ!!
毎日 20通くらいは届くから
全部読むのが大変で…
お前 東京に住んで何年だ?
えーと… 4年です

少しは大都会に慣れろよ！
いちいち勧誘に来る人や送られた手紙に対応してたら生活ができないぞ！
そうかァ
ゴホ
ゴホ
さけびすぎてのどがかわいた
あっ 今コーヒーだします
確かこの冷蔵庫に…
なんで3台もあるんだよ！
これも つい買わされてしまったんです
こないだ電気店街を歩いてたら…
そこのお兄さんどう！
新型のファジー冷蔵庫！
えっ
大特価
ぼくは別に…
お兄さん独《ひと》り者《もん》でしょう
これからの時期はないと不便だよ
超特価

中を見て！
400ℓ！
大きすぎますよ
仲間が集まったらこのくらいないとだめだよ！
4号店
お金 持ってないんですよ
うちの店のカードを持ってないの？
春の大カード祭り
5大特点
120回ローン
もっていません！
だめだよカード作らなきゃ
遠慮しないで
いえあの…
お届けは明日でいいね！
え？
明日ですか？
明日ならなるべく夜の方が……
はい！よろしく毎度あり！
それで買っちゃったのか！これ
もう少し小さいのならよかったんだけど…
なんせ3台目だから…

こないだ電池を買いに行って結局 このCD《シーディー》ラジカセ買わされちゃったし…
すべてローンだろ
それが相談てわけだ
まだあるんだ
実はこれが…
なつかしいな! メンコか!
全部クレジットカードなんだ
こんなに持ってるのかお前!
いつの間にかどんどんと増えてしまって…
ゴホ
ゴホ
年会費を払うのが大変で…
あらゆるカードがあるな
1,000枚以上あるぞ…
みんな 自動的に継続更新され新しいカードをどんどん送ってくるんです
本人が 退会の届け出さないと止まらんぞ!
一度も使わずもう4年以上たつカードばかりで…
金食い虫飼ってるのと同じだぞ
置いとくだけで年会費がかかる!

だから…これからどうしようかと思って…
ウ…
板池!! 自分の意志をしっかりと持て!
こんな生活していると
知らないうちにえらい物を買わされてしまうぞ
車を買ってしまったんです実は!
それもアメ車のシボレーカマロを…
金もないのに! なんで買うんだよ!
女の子のポスターにふと目がいき止まったとき…
外国車フェア
BMW
サービ
お兄さん車に興味あるの?
え!?
BMW
AUTO BECKER
ぼ ぼく免許をもっていないし!
大丈夫オートマ限定で今は簡単に取れるから!
AT免許
今大人気のATライセンス
でも…お金も無いし…
ははは
そういう人のために! 免許から車まで すべてローンで大丈夫! 合宿でわずか3週間!
合宿免許
新車付き
頭金なし! 60回ローン!!
これであなたも女性にモテモテ♥

3週間の合宿で免許取らされて車までセットでローンに…
それで署を休んでいたのか?
しっかりとれてる…
ぼくはこれからどうやって生きていけばいいのやら…
しばらくわしと一緒に暮らそう! 都会の生き方を教えてやる!
とりあえずローンの元のこの品物をなんとかしよう
強引に・・・買わされた品が多いからな!
より絶対安い
テレビ・ラジオ
スカウント
4月1日～5月
新入生応援セール
えっ返品ですか?
すべて未使用だ
4月1日～5月31日
ビデオテープ スーパープライス
超特価
店長を呼んできてくれ…
は はい
あの…
任せておけ!
わしはこういう話し合いは得意だ

電気製品は返品し現金に換えられた…とカード類は1,000枚すべて解約した
通販品も本社に返したし…
引越し急便
めんどうなのは街の中で買った品だ その場所へ行こう!
日曜日に確かここで…
キャッチセールスのメッカだぞここは
東急本店
TOKYU HANDS
通行禁止
必ず同じ連中が来るはずだ
お前もボヤッとしてないで…
あっいない!
もうキャッチされたか!
お~い板池!
会員になりますと旅行・ホテル・映画すべてが特別料金になります
いやぁすごいな!
ほとんどの若者が入会してますよ

あ! いた いた!
あ
入会金も 会費もなく 無料で 入れるんだって!
お金は 全く かかりません
会員維持費 とかいって 金を取るんじゃ ないのか?
えっ
ドキ
ほんの わずかですよ 月 2万円 程度で…
ははは
年間 24万円も かかるぞ
・・タダほど 高い物は ない!
そうだ! あんたの所! 教材カセット 扱ってたっけ!
あります よ!
「スワヒリ語」 ご利用に なりますか?
おたくで 買った品 だ! キャンセル する
買った品は キャンセルは 無理ですね 申し込み書の 第125条に…
ひっ
よ よく読むと 例外もあると ありました!
キャンセル しましょう すぐに!

教材ひとつ終了と！
次だ
あっ！
またキャッチされたか
あんたの所何売ってるの
ジュエルリングです
返品リストにない！行こう！
あの！今宝石がお安く…
いらん！
ひっ
すごい！ひと声で逃げていった！
このくらい言い切らないといかんぞ！
あのアンケートいいですか？
はは い
ドキ
いそがしいからダメだ！

せっかく美人に！アンケートくらいいいのに…
だからお前はだめなんだよ！
喫茶 赤レンガの館
ほら！よくみていろ
ああしてホイホイついていくだろ…
始めのうちはデート気分だが…
見ろ！男とチェンジした！
あっ！
二人の男に2時間説得されてみろ！だいたい落ちる・・・
あの女はいわば餌《えさ》だ！
蟻地獄みたいだ
ぞ〜〜
「あなたが当選しました」とか女から電話で喫茶店に呼びだしたりとか…
近頃は巧妙な手口に…
ん!?
またキャッチされたかまったく！
あいつの顔はよほどセールスマンに好かれるらしい！

いた いた! おたく 何を 扱って いるの?
えっ はい!
男性向けの 美顔器 トレーニング マシーン です
一式セットで 35万円です
あった! これか!
先週 届いて 未使用だ
キャンセル する!
トレーニングマシン
1年間 キャンセルは 無理なんです ここに ちゃんと!
15日以内なら 自由に返せると 言ったらしいな! 売る時に!
そ そう 言えば 言った ような 気が…
毎度 ありがとう ございました
今度 また 買って 下さいね!
トレーニングマシン
やだ!
漫画全集 全98巻 ボディービル セット 鎧兜《よろいかぶと》一式 グランド ピアノ 五月人形… いろいろと ここで 買ったな
そうなん です
最近 買ったん ですが…

ボディービルセットが欲しいなぁ!
漫画全集全98巻ぜひ買いたいな!
海外旅行を安く行きたいなぁ!
お金をどう使うか迷うなぁ!
ボディービルセットありますよ
漫画全集ありますよ
旅行 安くしますよ
ゾロ ゾロ
すごい…
グランドピアノを扱ってる会社は?
はい! それはうちだけです!
ローンが返せなくてピアノを返すよ
えっそんな!!
中古として買い取る場合もあると書いてあるぞ
いやだから場合もありえるという事で…
先輩のほうが強い…
全部処分したんですか! 大変でしたね
交通安全
ひとりひとり話し合いだよ! 引き取ってくれないのは中古屋に売ったよ!

確かに簡単に買ってしまう方にも問題もありますからね！
この顔にピンときたら110番
根本はそこなんだよ身から出た錆《さび》だからな
わしのアイディアで板池が大都会で一人暮らし出来るほどに成長した！
どうやったんですか？
おい出てこい！
スッ
この格好してから勧誘やキャッチセールスされなくなった！
悪
御意見無用
だれも近寄ってこないんですけど…
このスタイルで日常生活する方が大変だと思いますが…

★週刊少年ジャンプ1992年21・22合併号

野性《やせい》へ帰《かえ》れ！の巻《まき》

マリアを女子寮に!?
上からの命令でな男子寮に婦警がいるのはまずいとの事だ
マリアは男ですよ!
どうも完全に 女性と思われてるらしい
見た目は100%女だからな…
また一人暮らしにもどるのか?
その方が先輩にとっていいですよ
なんで!?
体調がなんか変だと先日 検査したでしょう
そう言えば!したっけかな?
先輩の抗体がかなり弱ってきてると検査の結果が!
なに!

バランスのとれた栄養と規則正しい生活で 先輩の悪魔のような抗体が生存出来なくなってきてるんです
マリアさんがカロリー計算した食事が逆に悪影響を及ぼしたのです
元々 先輩は悪食《あくじき》ですから…
人間とは思えない生活と悪食によってバランスがとれてるんです先輩は！
野性的な生活が体にあうというか………
マウンテンゴリラを都会で飼育するのと同じだ
なんて事言うんです
わかりやすい例です
その通りです！
こら！
近頃 急におだやかになってきたものね
動物園の動物みたいに……
だまれと言うのに…
以前は目を血ばしらせ競馬新聞を見てたものね
まさに動物が獲物を狙う目だった
うるさい！

一人暮らしで大丈夫ですか？両様！
まぁ自信はあるがな
とにかくきたない物を食べてだらしない生活をすれば元にもどりますよ
わかったよもう！
先輩とマリアさんの部屋は寮で一番きれいでしたからね
よごすのが大変だな
3日でよごれると思うわ
うるさい
偏見で物を言うな！
失敬な！
3日後
本当に3日でよごれてしまった…
見事な予想だ！うーむ

ふとんが あるのが きたない
ちゃんと しまって おこう
まてよ
どうせ 夜には また 敷くんだな
ならば やはり 敷いておこう
この方が 合理的だ!
本も すぐ 読めるように つんでおく わけだし…
リモコンも 手元に!
うーむ! 一分の無駄も ない!
服もすぐ 着やすい所に ある!
洗濯物も まとめて ある!
わはは
一見ちらかって 見えるが 違う!
ちゃんと 計算されて おかれてるんだ! すばらしい
はは
そう言えば
今日は 何も 食べて ないな!
カップメン 3本立てと いくか!
これが 一人暮らしの 王道だ!

カップメンだけで60日間暮らした記録が…
おっと
ガタッ
あっ
やばい
貴重な食料が…くそ!
シャツでふいてしまおう
ゴシ
ゴシ
うっうまい!
世界一おいしい!
ズズー
ごほん!
あわてて食べたから気管支の中に入った
うげっくるしい
ゴホ
ゴホ
ゴホ
ゴホ
ゴロッ
あっ!
ふとんに酒を飲ましてしまった
くそもったいない

婦警の寮まで来たけど…
どうやってマリアをよびだすかな？
プァン
プァン
ん？
その人がちかんです
なんだと！
こら！
わしも同業だ！
あっその顔は
マリアに会いに来たんだよ
人騒がせな！
夏用のパジャマですか？
押し入れの一番奥にありますわ！

用がすんだら男の人は早く帰って下さい！
うるさいな！
マリアだって男だぞ
わしと同じだぞ!!
全然同じじゃないわよ
マリアちゃんはかわいいからいいのよ
ふざけた事ぬかしやがって!!
きゃあ
シューー
うわ
スプレ
チカン撃退
ちかんよけスプレーを！
ゴホ
ゴホ
ゴホ
ゴホ
ゴホ
やったあ
てめえら覚えてろ！
ゴホ
ゴホ
わー
だんだん野性的になってきたわ

寮のゴキブリが消えた？
捕獲器にまったくかからないとか…
よかったじゃないか！
それが違うんですよ
ある部屋に集結しているのではないかとの噂が…
まさか…
一ヵ月たつとさすがにすごいな
誰もかたづけてくれないとこんなになってしまうのか…
なんかあちこちからにおうな
すっぱいにおいが…
くんくん
あ

コンビニのおにぎりがこんな所に………
発酵して別な食べ物になっている…
ん!!
何か気配を感じるな
まあいいや見よう
ゾロ ゾロ
ん?
ササ
おかしいな!
何かカサカサ物音が…
ササササ

まあ
いいや
パチッ
ガサ
ガサ
ガサ
よし
丁度だ
てなもんや
四度笠
ザ
ははは
ガサ
ガサ
ん?
ザッ
今
黒い物が
動いたぞ!?
おかしいな
?
キョロ
何かが
近くに
いるな…
ガサ
ガサ
ガサ
まあ
いいか

どうも一人だと気になっていかん！
ガサ ガサ
まったく
ポリ ポリ
はははは
ゲラ ゲラ
ガサ ガサ
ははは…
は？
やはりきさまらか！
かくれやがって!!

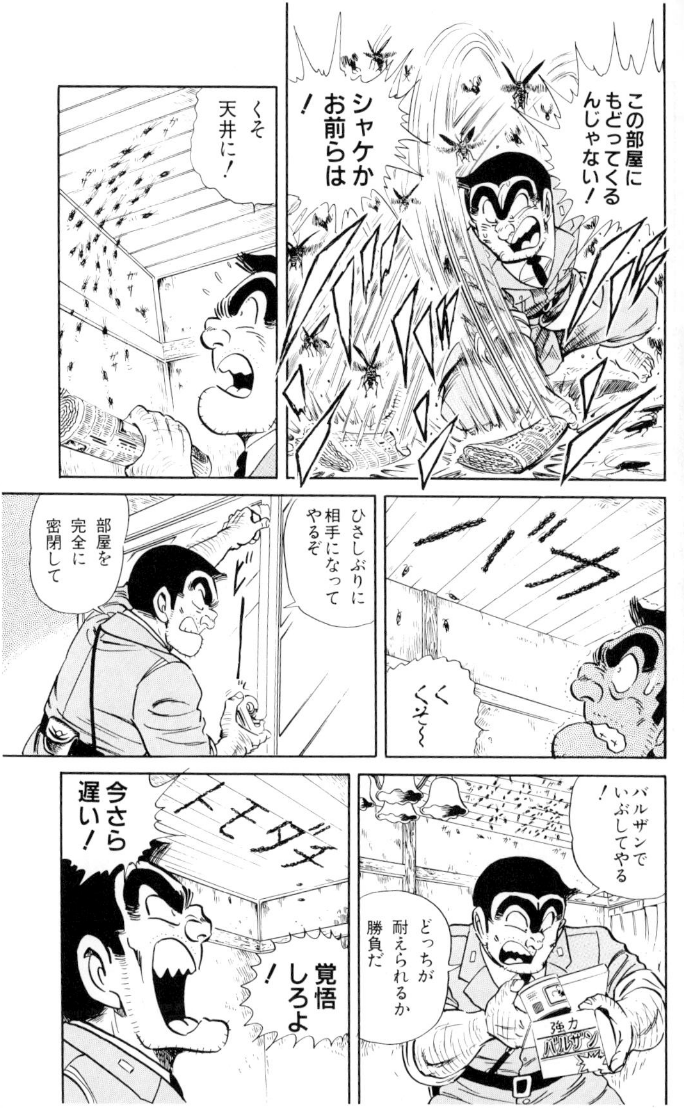
この部屋にもどってくるんじゃない!
シャケかお前らは!
くそ 天井に!
くくそ〜
ひさしぶりに相手になってやるぞ
部屋を完全に密閉して
バルザンでいぶしてやる!
どっちが耐えられるか勝負だ
強力
バルザン
今さら遅い!
覚悟しろよ!

ブブブッ
うおっ 向かって来た
飛ぶんじゃない! お前ら
ビュッ
ビュッ
気味悪いだろくそ!
ブブ
捨て身の反撃に出たな!
バルザン攻撃しかない!
GO《ゴー》
シュウウ
わははざまぁみろ
わははは
シュウウ
人間に勝てると思うか!
ゴホ ゴホ こっちもつらい!
ゴホ
ゴホ
やはり体がやわになっている!
ゴホ
ゴホ
少し野性的になってきたわね
交通安全週間

ん!? わしの事か!
毎日がゴキブリとの戦い《バトル》だぞ
夜中にかなりの数が寮に飛んでくる!
応援のゴキブリが集まってくるんだぞ!
寝てるとおでこの上に止まってくるんだ
気持ち悪い!
ゴキブリ用トラップ30個しかけたがこの上で寝てるほどの図々しさだ!
なめられてますね!
最大の武器がこのエアガンだ!
3秒で50発のBB《ビービー》弾を連射する
団体で向かって来ても一瞬にしてダメージをあたえられる
COMRADE-17
以前はマリアの給料も生活費に入ってたけどな
今はわし一人分の上無計画に使いまくってるからな
今月あと15日間30円で生活しなければならん
笑顔など作るひまはない!

そう言えば婦警寮に宅配便で生きたゴキブリ200匹 送られてきたそうよ
えっ 生きたゴキブリを
以前 恨みを持っていた両ちゃんの仕業じゃないかって…
だんだんワイルドになってきたね
大先輩 両津先生をはげます食事会
1人 1000円
本日から給料日まで
連日開催!
(料理持ち込みの事)
いやあ よく集まってくれたね
後輩は先輩をたすける
これが人の道と言うものだね君達!
はは はい!
そのとおりです
わからない事は私に聞きなさい
はい!
うわ ゴキブリが!
ひっ

わっ
パパパ
パパ
パパ
うわ
ひぃ!
ナベに!
ポト
うろたえるんじゃない!
こうして取ればいいんだ
しかしきたない……
加熱すれば問題はない!すべてのバイキンは死ぬ!
きゃーカベにもゴキブリが
騒ぐな!
首都を守る警察官がゴキブリごときで女みたいに悲鳴あげるな!
少し変わったカブトムシだと思えばどうって事はない!
なるほど
カブトムシならこわくないいな
はは…
HAWAII
92

ぎゃあ
人なつっこい
カブトムシ
だ
やはり
違い
ますよ
ひぃぃぃ
だらしない
やつだ！
おちついて
食べられ
ませんよ！
無念
無想で
食べろ！
おや 火が
消えてるぞ
つけま
しょう
シュー
カチ

先輩の部屋で大爆発!!
本人は派手なゴキブリ退治だと言いわけしている
人も10人近くいたわけでしょう
全員が入院したのに両ちゃんだけかすり傷ひとつないんですって!
どんな体の構造なのかな?
今夜も食事会をやるから早く元気になって来なさい!
とりあえず会費1000円はあずかっておこう
もう行きたくありませんよーーっ
ゆるして下さい!
本当にあれだけの爆発でなんともない…
会費
まるで人間ターミネーターみたいだ…

★週刊少年ジャンプ1992年24号

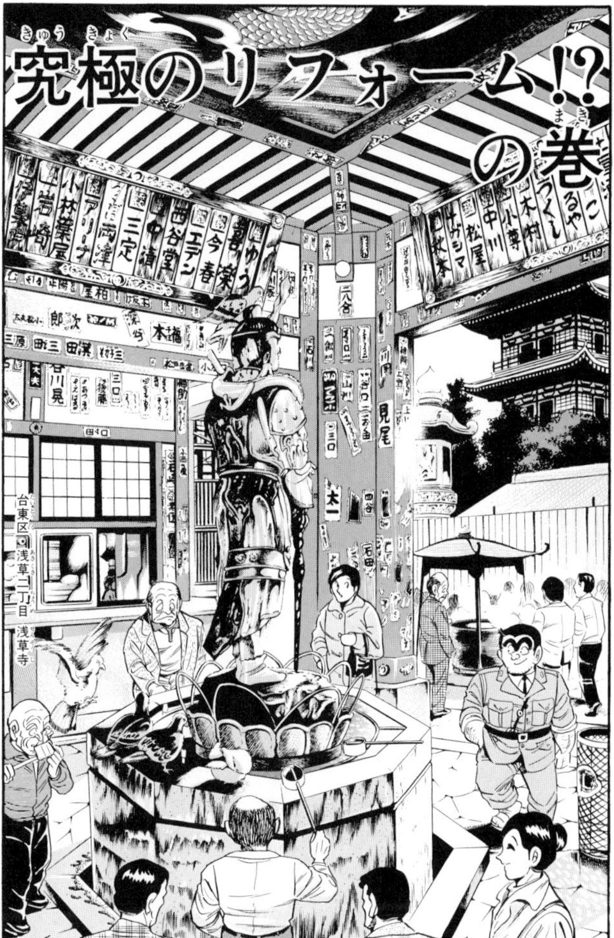
究極《きゅうきょく》のリフォーム!?の巻《まき》
台東区 浅草二丁目 浅草寺

美術館は苦手だな
絶対先輩が気に入りますよ
本当かよ
ここがトリック・アートのジェイブ美術館です
トリック・アート!?
The 1st Anniversary
壁をさわってみてください
あ!? 絵だ!!
一枚の壁に立体的に絵が描いてあるのか!

中はちゃんとした美術館だな
かなりうす暗いな!
これもさわってみてください!
え?
ありゃ!?
ただの壁だ!?
平面の壁に直接 描かれているんですよ
なんと額まで描いてあったのか!
すごく立体的に見えるな

彫刻なども立体に見えますが・す・べ・て平面の絵です
信じられん！
ライトの位置や光の強さを計算してあるのか…
おもしろい発想の美術館ね
これならまず盗まれませんからね
なるほど
あっ
2階の絵を誰か盗もうとしている
あっ
実はあれも絵なんです
え!?
本当だ！描いてある
遠くから見ると本物みたいね

驚いたり感じたりするのがこのトリック・アートなんです！
実に遊び心があるな！
テーブルの灰皿まで絵だぞ
だまされそうね！
楽しい美術館だったわね
実に面白かった
そう言えば昔広告で腕時計の写真があると切り取ったりして…
腕にまいて本物のつもりで遊んだものだ
あれもトリック・アートと同じだな

絵が額から飛び出ているというのがかわいかったわ
そこがユニークなんだ
なんかに利用できそうな気がする
うーむ
うわっ
おっと
ギイッ
脅かすな!バカ!
両さんか!ちょうどいい
お前の所のアパートか?
近頃入る人が少なくなってね
建てかえるお金もないし……
それじゃリフォームすればいいだろ!

リフォームも高くてねなんとか安くする方法が…
安く新しくする方法ね…
そうか！
この手がある！
うまくいったら家賃の10％アイディア料でもらうぞ
また商売
ここがそのアパートなんです
すべてワンルームトイレ付きか！
若者はこの名ではこないぞ
山中荘
どうします？
もっと高級感を出すんだ例えば メゾン・ド・ベルサイユボンジュール亀有《かめあり》とかプレジデントメルセデス亀有とか……

これにしよう！
「黄金の邸宅
ザ・ゴールド
スターファイヤー
ダイヤモンド亀有
SGX《エスジーエックス》1992」!!
どんなアパートなんだいそれ
中はけっこうきれいだな
すべてこういう間取りなんだ
壁が多いから使えそうだ！
わしが安くリフォームしてやるよ
本当かい両さん！

アパートをトリック・アートにしたんですか
知り合いの画家にたのんでな!
わずか10万円でできた
信じられない
一度来てみろ! すごいぞ!
どういうのかな?
一方通行

ここがそのアパートだ
立派なマンションじゃないですか!?
6万円もかけて製作したからな!
なんかおかしいな
あっパースがついてる
こっちの壁まで描いてもらった

むこうから
見ると
巨大に見える
うーむ
しかし
車を裏の
駐車場に！
えっ
駐車場が
あるんですか
高級車が
いっぱい
だ！
黄金の
邸宅
ザ・ゴールドスターファイヤーダイヤモンド亀有SGX1992専用
どうだ
リッチ
だろ！
これも
絵だ！
駐車
スペースが
30センチしか
ないからな
あの軽は
本物だ
ほとんど
路上駐車ですよ

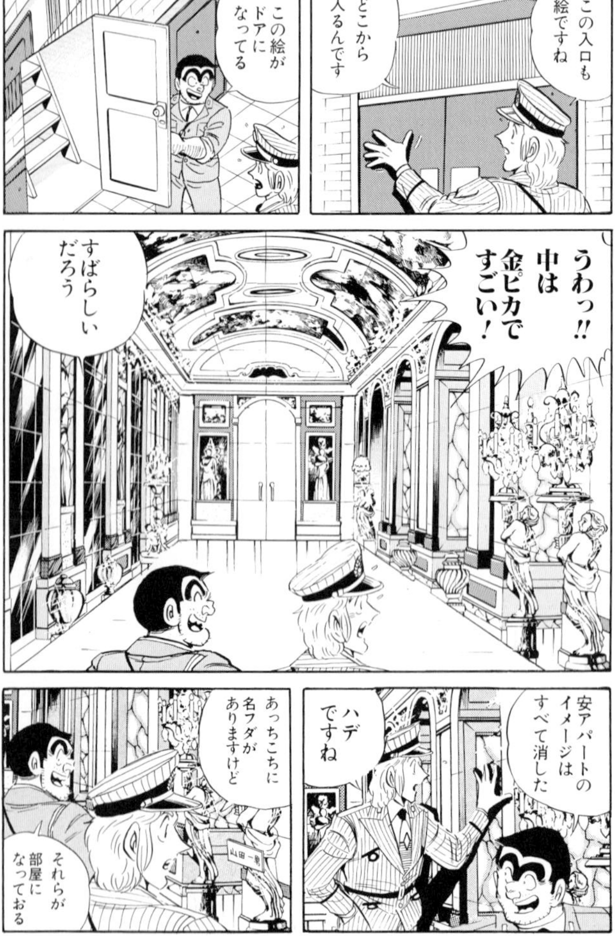
この入口も絵ですね
どこから入るんです
この絵がドアになってる
うわっ!! 中は金ピカですごい!
すばらしいだろう
安アパートのイメージはすべて消した
ハデですね
あっちこっちに名フダがありますけど
それらが部屋になっておる

これが部屋の中だ!
うわっすごい!
絵とは思えないリアルさですね
そうだろ
ガラ
ここが押し入れになっておる
あっ
そしてテーブルにも…
食事の絵が描いてある

リカちゃんハウスなどと同じ考え方だ
これなら粗大ゴミも出ないし引っ越しも楽ですね
もっとリッチな部屋を見せてやろう
え!? もっと
どうだ! すごいだろう
あっ
床にお金の絵か!
本物を落としたら 見分けがつかんぞ
ベッドもすごいぞ
札束とは…

タオルも…
トイレットペーパーも………
ふすまやたたみも一万円のデザインだ
そこまでやるとは…
この札束は何です?
これか?
冷蔵庫とレンジだ
すべてがお金デザインか…
五円
あの部屋はわしの夢を形にしたんだ
友達を呼びにくいですよあの部屋は!
次がさみしがりやの住人に…
チャ

部屋の中に新宿をそのままもってきた！
すごい人波だ！
人ごみの方が落ち着くという人もいるだろ！
これだけの人数がいると不気味ですね
ただこの部屋には
ひとつだけ欠点がある
夜寝る時まるで道路に寝ているようで気になる
それは言えますね
受験生用の部屋もある
えっ？

まるで予備校にいるみたいだろ
これもリアルだ
自宅で気をひきしめ勉強するためさ
これならその気になりますね
そうでもないよ
うおっ
ガタッ
うわっ
本人がいるならいると言えよ!
ドキ
ドキ
さっきからずっといたよ
もう住んでいたのか
いやあ驚きましたね!
美女をはべらしたハーレムの部屋も作る予定だ
人気がでそうですね

アイディアは無限だよ はは
あれ
出口はここじゃないのか?
あっちじゃないですか
ここも絵だぞ!くそ
出口がわからなくなってしまった
火事になったらパニックですよこれじゃあ
心配いらんちゃんと消火器がここに
ん?
これも絵だ!? おかしいな 本物は!?
住むのがこわいなここは
キッ
街中がトリック・アートに見えて来たよ

こら両津!!!
うわっ部長!
わははひっかかったな
あっ
これは絵か!?
たのんで製作してもらったんだ!
仕事をさぼらんようにたえず絵に見張っていてもらうぞ
つ 机やそこら中にも…
う〜〜む 絵と わかっていても驚く! 全然 落ち着けない…

★週刊少年ジャンプ1992年18号

鳩《はと》の恩返《おんがえ》し!?の巻《まき》
葛飾区
辞典
亀有

その鳩どうしたんだ!
裏の公園で子供達が拾ってきたの
グルル…
飛べないらしいですよ
ちょっと見せてみろ!
右の翼が折れてるぞ!
えっ
包帯を持ってこい
はい!
かなり弱っているようですが…
たぶんハラがへってるんだろう
これでよし!
辞苑
翼のケガはよくある事だ鳩は生命力が強いすぐになおる!
中川《なかがわ》 ピーナッツ買ってこい! とりあえずエサがわりだ!

鳥に襲われたのかしら
おそらく電線に引っかけたんじゃないか
ジャラ
ジャラ
都心部は高層ビルも多いから飛ぶには危険だ
そうですね
ミラービルなど空が映りこんでいるから知らずに鳩が衝突するものな!
まあ! かわいそうに
ツバメなどかなりのスピードを出すからよけきれんよ
ジャラ
鳥の巣なども針金のハンガーやプラスチックで作ってるのもあるそうですよ
都会には人工的な物が多いからな
近頃の鳩は以前より黒くなった気がするな
ポリ
ポリ
昔は白《バク》といって白い鳩がもっとたくさんいたぞ
大気汚染で汚れたのかしら?

地方にくらべ都会には黒っぽい種類が多いらしいですね
もともと黒なのか
汚れた都会では白い鳩は目立ち鳥などに襲われる確率が高く
黒っぽい鳩は確率が低いと言われてます
必然的に残った黒っぽい鳩同士が交配するわけですからふえ続けるわけです
自然選択ですよ
だから都会に適した黒っぽい鳩がふえるんです
うーむ都会の事情か!
人間だって都会に暮らすと鼻毛の伸びが早くなるというからな!
それ本当!?
おっと水を忘れていた!
鳩は特にたくさん水を飲むんだ!
エサより水の方が大切なくらいだ
両ちゃんくわしいのね!
弟が昔鳩を飼っていたからな!
ゴクゴク

わしが小学生の頃は鳩を飼うのがブームでな!
へえ!
2階に鳩小屋がある家をよく見かけたもんだ
小鳥屋でも鳩をたくさん売っていた!
我が家の2階に鳩小屋を作り4羽 飼ってたんだ
すると浅草寺《せんそうじ》の野生の鳩が どんどん集まってきてな!
50羽くらいにふえちゃってな!
仕方なく わしもエサを作ったり手伝ったりした! それで世話の仕方を覚えたんだ
りこうな鳩は他の鳩を釣ってくるからな
鳩はエサをあげる人にすごくなつくんだ
浅草寺にいくとわしのまわりに鳩がよりついて困ったものだ
今だって初代や二代目の鳩が浅草や上野にいるからな!
鳩とは・・・なじみだよ

翼が完全になおるまでしばらくかかる
派出所においてやろうこの鳩
公園前《こうえんまえ》派出所《はしゅつじょ》に鳩がふえましたね
うーーむ日に日にふえる
どんどん数がふえてきますよ
クルル…
元々集団性の強い鳥だからな
クク…
ククッ…
ピン!ときたら110番
一羽だけ飼う方が無理…
バサ

こら!
西郷隆盛《さいごうたかもり》の銅像じゃないぞ
鳩小屋にする気か派出所を
別に飼っているわけじゃありませんよ!
こいつの仲間なんです
私も困っているんです
それならお前が鳩小屋も作ってやれ
ちぇっ
なんで わしが鳩小屋を作らなきゃならんのだ
わしは鳩の保証人じゃないんだぞ
40羽近いからこの大きさでいいだろ
グルル…
ゴロロ…
入口もこれでよし……
よし!完成だ!

さあ
みんな
できたぞ
入れ!!
うぬ……
しーん
せっかく
作って
やったのに…
エサで
釣ってやろう
とーっとっと
しょせん
鳥の
浅知恵だ
ほーら
入り
なさい!
この中に
!
グルル!
ククル…
クイ
ガシャーン
あっ
パチン
こら!
なんって事
するんだ!
ここから
出せ
ガチャ
ガチャ
クク…
グルル
こら!
出せ
あれ
先輩が…

そんな所で何をしてるんだ
あっ部長
鳩小屋を作ってたら鳩に…
クク…
グルル…
バカか! おまえは
油断してたんですよ!
亀有公園
第一次世界大戦の頃だ
ドイツ軍の攻勢でフランス軍はベルダン要塞に孤立した
無線は かく乱され地下の電話線も爆撃によって切断された
ドイツ軍の包囲はますます近づいて全員あきらめかけていた時
レナール少佐が一羽の軍用鳩を伝令に飛ばした!
おまえにたくすぞ
やがて伝令を受けたフランス軍が駆けつけた! 一羽の鳩が部隊を救ったのだ

そういう実話を
小学生の頃 本で
見てな! けっこう
鳩は すごいなと
感動したぞ
ゴリ ゴリ
伝書鳩の
歴史は長い
ですからね
通信機関が あまり
発達してない時代
フランスからロンドンに
伝書鳩を使い…
どこよりも早い情報で
株を有利に進め
大儲けしたという
話もありますからね
この鳩も
伝書鳩に
なるの?
そうとうな
訓練が必要
だぞ!
グルルル!
こいつは
ダメだよ
顔見ると
いかにも
バカそう
だものな
わはは
ぴょん
ん!!
ビチャ
げっ

てめえこら!
なんて事しやがる
人の言葉がわかるのかしら!
ゴシゴシ
くそ~~~
お前より鳩の方が頭いいな!
大きなお世話ですよ!
鳩ポッポの歌碑
よく見ろ
どっちの数が多い?
ジャラ
よし太郎《たろう》当たりだ
すごいわね
こいつらなかなかのみこみがいいぞ

バサ
バサ
おっ ジョニーに ガルシア! どうした?
グルル
なに 小屋に 水がない
水
エサ
ちょっと 鳩小屋に 水あげて くる!
クク…
ククッ
ずいぶん 慣れてる わね!
よく鳩の 見分けが つくな… みんな同じに 見えるけど…
グルル
ワ
ワ
ワ
なんだ あの鳩は?
何か あるのか? あそこに
コンドルの ジョーが もどって 来たか!
バサ
バサ
早かった な!

裏の予想屋の本命は
ククッ
5
6
7
メグロサンマ
6番と…
クッ
クルル…
2
3
4
ハッピームーン
2番か！
みんな6—2か…絶対おかしいぞ
あとは伝衛門《でんえもん》の帰還待ちだな
グル…ル
体調くずしてるんだろこの馬
しっ！
おっ伝衛門がもどってきた！
メグロサンマ調子はどうだ！
タッ
うむ最悪！
グルル…！
下痢気味か！なるほど
最悪
下痢
不調
普通
良好
絶好調
持久力
闘争心
瞬発力
スタミナ
充分
並
不足
わかりません

よし！2番の一点買いだ
わははは
もう当てたも同然だ！
なんだろうあの人
えっ先輩が鳩をスパイに？
そうとしか思えないのよ
婦警達の内情にすごく詳しいのよ
近くに鳩がいたし…
そういえばぼくのフェラーリを鳩が追ってきた事が…
ははは鳩が話せるものか
ガラッ
先輩が訓練し鳩用カードを作ったんですよ
このカードを組み合わせ会話をするんです
ま まさか……
あっ
ゲルル・・・

あっ
しまった! 今の話をきかれた!
不気味な鳩だ…
でも まさか…
ルルル…
はい 公園前……
あっ 先輩!
勝手に人の机をあけるな? いいや あけてません! 本当です!
うーーむ スパイに見られてるようだ…
両さんが競馬で当てている
借金をとりかえすチャンスだ
模型
尾崎模型
TAMIYA
ニューモデル入荷!!
COFFEE
当たる!
なんでも鳩を使って情報を集めているとか…
鳩ならいい手がこちらにもある

署
察
警
やけに鳩が多くなったな
みんなこちらを見てるんですよ
なんか気味悪いな!
グルル
グルル
グルル
クックッ
ククッ
グルル
署長!その事についてちょっとこっちへ!
な なんだね!?
えっ両津のスパイ鳩!?
すぐにでも鳩小屋を壊さないと危険です
クアー
あっ
しまった今度はカラスに!
バッ
バサ
バサ
あれもスパイか?
コッ
コッ
うわっ!ニワトリも!
これもスパイか???
わははははは
わしの悪口を言ったらただじゃすまんぞ

ごくろうだったな食べなさい
ゴトッ
プイ
ありゃ
あっ
水
出せ
エサ
うまい
もっと
ろ
だんだんえらそうになりやがって
今の地位も鳩様のおかげだから仕方ない…
ドドドドド
やったあ!
大当たり!鳩の言うとおり!
人にマネのできぬ情報の集め方だ!
わははは
現金300万円のお通りだぞ!
その一部をこっちにもらおう
なに

あっ
商店街の
おやじども
なぜ
ここが
ふふふふ
鳩なら
私は30年の
ベテランだよ
クックル…
あっ
すべての
情報は
つつぬけだ
ふふふ
スパイ
するとは
ずるいぞ
ハト豆を
くらえ
うわ
相変わらず
往生際が悪い!
ハト豆
300万円
わたしな
さい!
ボーナスは
許して
やるから
絶対
わたさない
やだ
うわっ
鳩の
大群が!

金をたのむ
パッ
あっ
ああ300万円が
しまったあ
わははは
見たか!! わしの合図で上野・浅草の鳩が集結するんだぞ! 驚いたか!
かわいい わしの・・・親衛鳩だ! わしと鳩のきずなは深いぞ!!
この鳩が使っているお金ってもしかして先輩のじゃあないですか?
エサを買うハト出る
何百万円隠しもつ
一万円札をくわえて払う
ハトの巣に何百万円も!?
そういえばあれから一羽も来ないわね
鳩にまで裏切られたショックは大きいらしいが…人間として最低だな

★週刊少年ジャンプ1992年32号

空《そら》飛《と》ぶ絨毯《じゅうたん》!?の巻《まき》

思いおこせば去年もいろいろあったな
春日《かすが》の八《は》っちゃんも亡くなってしまったし…
カチャカチャ
先輩は春日八郎《かすがはちろう》の大ファンでしたからね
サインまでもらったものな大切にせんといかんな
今年もあっという間に正月も終わった
月日がたつのは実に早い！
ズズ
'Υπάρχος κεψλδση'
いきなり驚かすな！
ΠΑΙΔ ΑΝΩ ΑΣΤ ΟΣΘ
ΗΩΣ ΦΙΓΟΡΣ ΒΑΣΦΣΠΔΩ
ちょっと待て！

麗子バトンタッチ！
はい
日本も外国の住人が増えたね
我が派出所は20か国語を話せるのが2名もいる！心配ない！
おっとまた来た
中川行け！
はい！
すいません道を聞きに…
お前の出番だ日本語で通じるぞ
あいた！
美容
カット＆パーマ

仕事が終わったら急に元気になるな
寮の連中さそって また飲みに行こう！
お巡りさん！
なんだ!?
キッ
行き倒れらしいんですが…
今どきまったく……
おいしっかりしろ！
肩につかまれ！
寮が近いから そこへ行こう！
とんだ・・・ひろい物しちまったな

パク
パク
よく食べやがるなこいつ！
パク
パク
おなかがすきすぎて動けなかったみたい…
フロに入れて一晩泊めてやろう！
そうですね！
ん!? なんだ？
何語で話してるんだよこっちは英語もわからんのだぞ
中川ならまだ帰る途中だな
あいつに通訳させよう
はい中川です！
あっ先輩ですか？
グオン

行き倒れの外国人が 寮に来てるんだ 通訳してくれ
ええ いいですよ!
わしも入る!
ピッ
3人で話そう
お前はこの人と話せ!
わかるな!
自分はペルシャ絨毯《じゅうたん》の行商に来て行商仲間とはぐれたと言ってます
日本に行商に来てるわけか!
気にするな 今夜は ここに泊まっていけと伝えてくれ
よし 通じたようだな

明日一緒に仲間を探してやる！同時通訳しろ！
ペラ
ペラ
なんか不思議ね！
なに⁉絨毯をくれるだと⁉
好きなの選ぶのか？
これが有名なペルシャ絨毯
いろいろあるな！
これなんかいいんじゃないか！
素敵ね
じゃあひとつもらっておくよ

思わぬ
もらい物を
してしまった
な
こんな
高価な
品を…
おそらく
民芸品的な
レプリカ
だよ
派出所で
でも使うよ
なんだ
こりゃ
!?
ペルシャ
絨毯だよ
!
うちに泊めた
外人に
もらったんだ
へえ
すごい
な!
うわっ
絨毯に
!

いいよ気にするな
だってペルシャ絨毯って高価で…
ただでもらったんだぞニセ物だよ本物は何百万もするからな!
ははは
そうかぁ!それもそうだね
ずいぶん薄くて軽いし…安っぽい気もするね
そうとも夏になったらゴザがわりに使えるぞ
うちの電気カーペットと柄が似てる
えっ本当
じゃとっかえないか?
わしは電気カーペットのほうがいいようぜ!
ギュィ
そそれは…しかし…
あら!
ペルシャ絨毯じゃないどうしたの?
いいだろ!ニセ物だけど本物風で!うちに泊めた外人にもらったんだ!
ズズー

本物よこれ！
お前ら乗るな降りろ！
早くどけ！
本物かよ高いのかこれ？
年代物みたいだけれど…絹《シルク》だし…
ここに製作工房のデザイナーの名が入ってるでしょ
あっ！
かなりの高級品じゃないかしら
本当か！
おまえらテーブルをどかせ！早く！
何かあったの？
両ちゃんがペルシャ絨毯をもらったんですって
カチャ
カチャ
ほう…これはいい品ですね
いくらするんだいくら！
知り合いの専門家に問い合わせてみましょうか！
ぜひそうしてくれ！

亀有公園前派出所
どうですか？
中心にメダリオンを置きフィールドにアラベスク文様《もんよう》
典型的なカシャンの構成 だが ノット数が実に緻密だ
ノットってなんだ？
結び目の密度ですよ
目が細かいほど 曲線の文様など美しく描かれるわけです
荒《あら》い
細《こま》かい
同じ大きさでも一般むけの品はノット数が荒く高品質な品はノット数も多いわけです
テレビの高画質みたいな物だな
フリンジの糸の数を見れば密度が一目でわかります
なるほど縦糸の数だけ出てるわけか！
ペルシャ絨毯で重要なのは 文様のデザインと色調 近作でなければ作られた年代など…
この作品はデザイナーが「ダソウ」という人物で その時代と*アブラッシュからみると1930年頃の作品でしょう
1930年といえば技術的にもいい作品が製作された時代です

※退色によって生じる良い意味での色むら　収集家には喜ばれるケースが多い。

早い話 これは いくらぐらい するんだ…
これほどの 高品質の 逸品 でしたら…
少なくとも 5,000万円の 価値は あるでしょう
なに 5,000万円
かなり 高価なんだね!
フィールドは手織りで ボーダー部分はパイル という変わった織りに なっている この種の カシャンは珍重されるのさ
こら! さっきは よくも ソースを こぼしたな!
さっきは 気にしない と……
お前の家の 安物の電気 カーペットと 一緒にするな たわけ者!
5,000万円だ! お前の家より 高いんだぞ!
汚れても 価値が下がる わけでは ありません
水でこすり 出して いただければ いいんです
ほ 本当 かよ
絨毯は 踏まれる事で しなやかになり 色もなじんで くるのです
わざわざ人通りの 多い出入口に置き わざと踏ませて なじませる方も います
古くみせる G《ジー》パン みたいだな…
人間が 使い込むから 味わいのある アンティークに なるのよ
う——む 奥が深い!

イスファハン産がふつう多いけどこれはカシャン産なんですね
色具合が最高ですよ カシャンで 青がこれほど使われているのは珍しい貴重ですよ
行商のため持って来た絨毯の中に高級品が・・・まぎれていたんですよきっと
すごい掘り出し物だ・・・
タッ
ん？
ぎええええ
このバカ！なんて事しやがるんだ！
ガタッ
ぎえええ
しょうゆが!!
命より大切な絨毯に！なんてこった！
びえええええ
価値を知ったとたんえらい騒ぎだ
なにペルシャ絨毯をかしてほしい？

本庁から
えらいさんが
来るので
署長室に
ぜひ…
ふーん
なあ
たのむよ
このサイズで
完成するまで
3年かかって
いるのですよ
わかってるん
ですか?
ひと目 ひと目
織る苦労を
使う方も知るべき
です!
ごもっ
ともです
そこを
ご理解した
上で おかし
しましょう
1日
2万円で
2万円
いやなら
いいですよ
プイ
わかった
出す!
商売
上手だ…
売ってしまうとそれで終わりなので
その前に高価なペルシャ絨毯の
レンタル業をやり繁盛した
こら
踏んじゃ
いかん!
近寄るん
じゃない!
立入禁止
あなたも
5,000万円の
ペルシャ絨毯で
寝てみませんか?
一回
100円
長生き
できるぞ
同時に 1円でも高く買ってくれる
オーナーを中川の人脈で探すのであった

すばらしい絨毯だ！
2度と出ませんよ！この様な品は！
いかほどでお求めでしょうか
6,000万円でどうかな？
この話はなかった事として…
わわかった！
6,500万円だそう！
他のお客様には8,000万までの値がつけられてます！
まったく話になりませんな！
あと 社長は何人くらいいるんだ
アンティーク好きな方は あと20人くらい！
よし まだ値が上がりそうだ！まだ売らんぞ
ビルの屋上に日本庭園や和風の家を作るとは金持ちらしい発想だな！
外国からのお客様には喜ばれますよ

うわ！絨毯が
あっ
ぬおっ外に！
だめだ！
拾われたら大変だ！
あっ
よし！つかんだ
うお すごい突風だ！

先輩!!
ぬおおお
なんだ!?
ヅヅヅヅ
何かが近づいて来るぞ?
東都テレビ
TÔTO TV
うわ!
チュン
空飛ぶ絨毯だ!?
信じられん
ヘリのローターブレードでキズついてしまった!
くそ!
うわっ
ゴオオオオ
ひえっ落ちる!
キイイン

うわっ なんだ!
空飛ぶ絨毯だ!
変な男が乗っているぞ!
なんだあれは?
こら カラスめ あっちへ行け
あっ!
ビルに正面衝突!!
ここでカーブ!
ぬおっ だめだ
失速だ

ドガッ!!
ぎえ!
昨日 東京上空を 男が絨毯に乗り 飛び回る事件が ありました
お騒がせの男は アラビア風の 衣裳まで 身につけ
高層ビルの 屋上から 飛び降りた そうです
テレビカメラに撮影《さつえい》された空中《くうちゅう》を飛《と》んでいるシーン
墜落して壊した 浅草二天門《あさくさにてんもん》は 重要文化財に 指定されており 修復には 何か月もかかり……
あの ペルシャ絨毯を 5 6枚売っても 損害賠償 出来ないわよ きっと
欲に目が くらむからだ 本当に こりない男だ
天門

★週刊少年ジャンプ1992年6号

白鬚橋《しらひげばし》の思《おも》い出《で》の巻《まき》
台東区《たいとうく》・浅草《あさくさ》 東武線《とうぶせん》浅草駅前《あさくさえきまえ》あたり
KAMIYA BAR
一バ谷神
神谷バー
デンキブラン
MATSUYA asakusa

新婚旅行は楽しかったか!?
そりゃよかったな!
明日新居に邪魔するからな!
よろしくな
なんだプップッする音は!?
キャッチホンだと!
ほっとけばいいだろ!そんなもん!
おい!こら!もし!もし!
弟さん新婚旅行から帰ったんですか!
兄と電話中にも仕事の電話してるんだぞ!忙しすぎる!

そうだ！お前 一緒に新居に行くか!?
えっ 僕も？なぜです？
弟のヨメさんはお前の親戚だろ親戚として行くんだよ
結婚式に出てすべてが済んだと思ったら大間違いだ!!!親戚としてだな…
わっ わかりました行きます！
その顔は「やだ！」って顔だぞ！本当は行きたくないんだろ！
いえ 行きたいです！
行きたいなあ!!
ウソだろおい！
圭《けい》ちゃんかわいそう…
とんでもない親戚にとりつかれてしまったな！
本当ですよ本当！

新居は浅草からわりと近いんですね!
ガオム
そうだな!
まだ新居に移って三日目だからな!わしも行くのは初めてだ
あったあれだ!
確か25階のマンションだと…
地下が駐車場になってると言ってた
ブロロロ
IN
はい!
ほら!これが弟の車だ
これですか

今時走ってる姿は見かけないコルト1000だ！
もう15年近く乗っておる！
弟は物を大切にするのが得意だ！
兄さんとはえらい違いですね
2508…と
おいわしだ開けろ！
はい！今開けます！
ウイイーン
入るまでがめんどうだ
2508号室は最上階ですね
本当だな高い所が好きなんだなあいつ！
この部屋か！
ピンポーン
あっ中川さんも！
チャッ
親戚として連れてきた

中川さん わざわざ すみません！
先輩の お供なんだ 今日は！
はい！ これ 手土産！
まだ 引っ越した ばかりなので 荷物が…
身内 だから 気にしない 気にしない
さすがに いい景色 だな！
そう なんです
主人が 隅田川の花火が よく見られるからと このマンションを 選んだんです
ガラ
下町育ち だな！ あいつも！

なんだ このアンテナは！
主人が無線で必要とかで…
ハ・・ムか！
そう言えば昔やってたなあいつ
こんな所にこんなもんぶったてて
まるでスパイ活動してる様だな
よく受信できるからここを選んだんじゃねぇのか
ピシャ
その可能性も…
中学でやめたと思っていたが…長続きするな！
伝書バトもこっそりとやってるんじゃねぇのか！
え？何が
ハムだよ！
ああ！続けてるんだ趣味で！
お前の機材わしがすべてこわしたろ！あれでてっきりやめたと思っていたよ！
ひどい！

新婚旅行のお土産です！どうぞ！
いやあ気を遣っていただいて！
どうも！
あっ！
えっ
これ！わしが遠足でお前に買ってあげたやつ！
そそうだよ！
23
20年以上もよくとっておくな…信じられん……
几帳面なやつだ…
先輩が大切にしなさすぎるんですよ…
本も相変らずビシッと並べてそれも字の本ばかり…
わしなど見ただけで頭がいたくなる…
金次郎《きんじろう》は昔から一日中 本を読んでた！
本を見すぎてバカになってしまうかと心配したほどだ
先輩とは一緒に遊ばなかったんですか？
遊んだよプロレスの技をかけたりしてな！
しかし…物心ついた10歳からは本ばかり読んでた!!
3K-JQHF
WORLD MAP

だって
兄さんと野球やっても勝つためにはビンボールを投げるわ すべりこみでケガさせるわ…
メンコ ビー玉でもすべて本気だもの！目を血走らせて！
当時から…
あれは作戦だよ……
他の遊びでも線路にクギをおいたり…高圧電流の鉄塔に登ったり…
とても怖くてついて行けませんよ
ベラベラしゃべるんじゃない！
いい義兄さんのイメージがくるうだろ
い いいえ別に…
先輩の姿を見てたから慎重な性格になったんですね
まさに・・・・反面教師ですよ
3K-JQHF
教師だなんてそ そうか…
そんなにえらいかな？
はは
まいったね
違いますよ
反面教師はつまり…参考に・・・したくない例です！
なな に……
わしと正反対の事をしていて弁護士になれたわけか…お前は！

えっ
休み！
つい
忘れてて…
どうした
？
今夜
みんなで
スキヤキに
しようと
思ってたけど
前の
肉屋さんが
休みなんだ
今から
別な所を
捜して
買って来ます
ちょっと
奥さん
マンションの
裏にでかい
商店街が
ある
そこに
肉屋が
あった！
確か！
兄さん
このあたり
くわしいね
自転車で
お前乗せて
来ただろ！
このへんまで
記憶力の
ないやつだな
義兄さんは
私の実家も
よく知ってた
ものね！
目黒
でしょ！
日《ひ》の丸《まる》
教習所の
近くね！
そう言えば…
山手線 自転車で
一周した事
あるからね
小学生の頃！
だから駅や
近くの道など
けっこう
覚えてるんだ

兄さんは勉強以外そういう記憶力はあるな
一度通った道はビシッと覚えている！
お前は本の知識しかないからいかん！
・・・字以外からも学びなさい！
買い物ついでにみんなで近所歩いてみよう案内するよ
そうですね
ポケット電話は置いて行け！仕事は忘れろ！
あっ
こんな近くに商店街があったなんて知らなかったわ！
この先にコンビニが2店
夜中には役に立ちますよ
ひまわり通り
ビリヤード
凱
2F
紅茶館
この土手の向こうが隅田川《すみだがわ》！
そうですか

そう言えば川で遊んだ事があるな…
えっ隅田川で?
橋の下にパイプが通ってるでしょう
その近くで遊んでいて…
不良の中学生が僕らをいじめに来た事があってね
パイプを渡って向こう岸に行けば許してやると言った時
オレが代表して渡る!
なに!本当にやる気か
本当に渡って行ったんです!
もういいやめろ!
おい
中学生は怖くなって逃げてしまって!
そのうち力つきてパイプからすべり落ち…
運搬船がいて助かったんですよ!
小さい頃から無茶な事を……
あとにはひかない子でしたからね

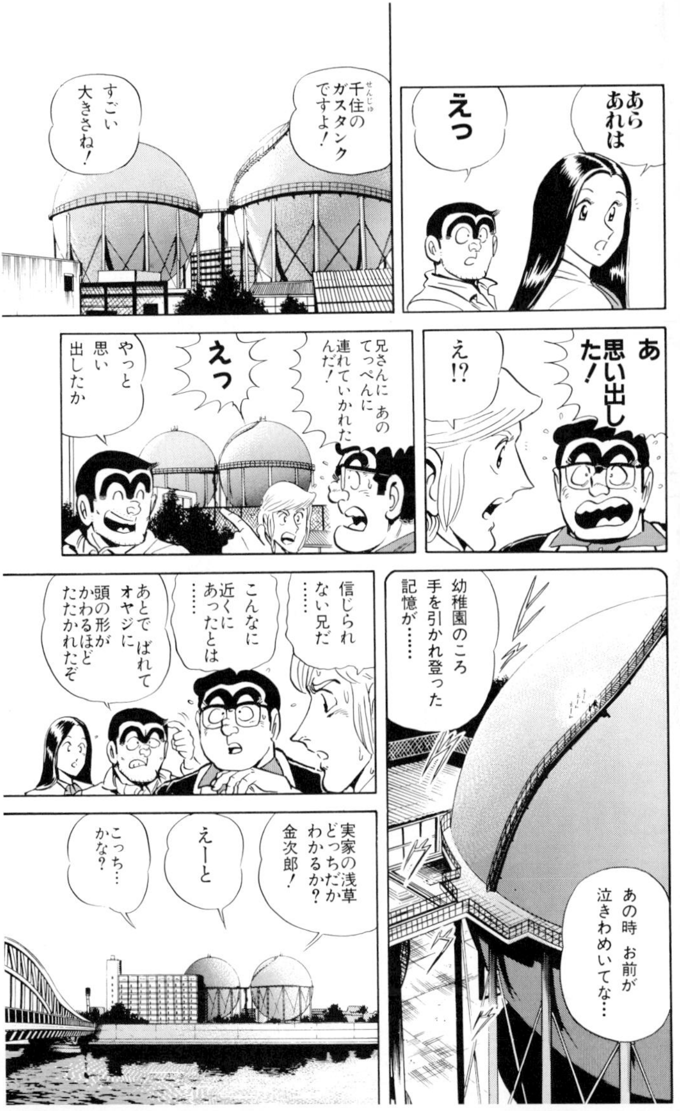

あら あれは
えっ
千住《せんじゅ》のガスタンクですよ!
すごい大きさね!
あ 思い出した!
え!?
兄さんに あのてっぺんに連れていかれたんだ!
えっ
やっと思い出したか
幼稚園のころ手を引かれ登った記憶が……
あの時 お前が泣きわめいてな…
信じられない兄だ……
こんなに近くにあったとは……
あとで ばれてオヤジに頭の形がかわるほどたたかれたぞ
実家の浅草どっちだかわかるか? 金次郎!
えーと
こっち…かな?

違う!
こっちの方向だ!
わしは人間磁石と言われるほど正確だ!
だからお前は一人だと道に迷うんだバカ
白鬚橋《しらひげばし》まで来てしまったな
そうですね!
パパァー
ブブー
おっ 桜が咲いてる!
本当だ
ジュースでも買って来て そこらで飲もう! ちょっと待ってろ
どうもすみません
しらひげばし

白鬚橋には思い出があるんですよ
えっ
小さい頃紙芝居を見てましてね
純金バット
その日はたまたま一人で…
そのまま紙芝居のおじさんについて行ったんです！
ふっと気がつくと……
呉服問屋
全然違う街に来てしまったんです
帰り道も全然わかりません
とにかく川伝いに行けば浅草につくと思っていて…
ついた所がこの白鬚橋
白鬚橋
浅草とは反対方向に行ってしまったんです

疲れて橋のたもとに座りこんでしまい…
あたりは だんだん暗くなって来て不安はつのり…
ますます さみしく不安になり泣きそうになった時……
ふと土手の方を見ると…
兄さんが来たんです
全速力で僕の所に!
あの時の感動と言ったらもう…
安心と うれしさで泣きじゃくりました!
ぼくを捜し回ったらしく イキを切らして アセで顔は びっしょり…
ぼくにとって一生わすれられません
やはり兄弟ね以心伝心でわかるのね
兄さんは僕にとってのスーパーマンですよ
助けをよべば必ず僕の前に来る!!
素敵なお義兄様ね…
……

うおおお おいしそう！
グツグツ
いただきまーす！
いやあ 親戚同士で 食べるのは 実にうまい
大勢で 食べるのは おいしいね
あ いけない お酒の用意を わすれて……
ん!? そうか！
今夜は 酒なしだ！ 食べる事に 集中しよう！
結婚式の 二の舞いに なってはいかん からな！
兄さん 少し大人に なったね！
ばかもの わしは100% 大人だぞ
あははは

オオツカ
注意
金次郎の迷子事件!?
すごく先輩の事尊敬してるようですよ
その話少し違うな
え!?
確かに金次郎がいなくなって大騒ぎになった事がある…
勉強しない わしはその日 無理矢理勉強させられていたんだ
ところが弟が行方不明でそれどころではなくなった
当時 切手が大ブームでわしは夢中になってな
切手!?
白鬚橋のたもとのコイン屋で切手の安売りがありこれは神がくれたチャンスとばかり…
金次郎を捜すふりしてコイン屋へ一直線!

全力で走ってると
橋のたもとに
ふとみかけた
顔が……
それが
金次郎だった!!
一挙両得だ!
そのまま金次郎を
コイン屋に
連れて行き…
大安売り 本日限り
切手 コイン
切手を買って
あげて ごまかし
家に帰ったんだ
一直線の
方向に 偶然
弟さんがいた
わけですか…
あいつ
そんなに
大切に
思っていた
とはな!
あいつら
には
ないしょに
しとけよ
その方が
いい
ですね!
サンタ
クロースも
いると信じて
いた方が
幸せです
からね
そういう
事だ!

★週刊少年ジャンプ1992年16号

ケーキ屋《や》・両《りょう》さん!?の巻《まき》

時給1,500円でよければあるわよ！
本当かよいい金になるな！
知りあいのケーキ屋さんなの
クリスマスが近づくと忙しいらしくて
ケ ケーキ屋かよ…
ケーキ作りはけっこう力仕事が多いのよ
うーむしかし…
ケーキはあまり食べんしな！
どうも性に合わん
手先の仕事だから合うと思うけど…
時給を上げるように頼んであげるから！
ピク
ちょっとやってみるか！
クリスマスケーキを楽しみにしてる子供達に夢を与えてくるか！
はは
Christmas
Do. DE. SUKA. DEN

ずいぶんいろんなケーキがあるな
ほとんど店のオリジナルだからね
ここが厨房《ちゅうぼう》だ!
なるほど
季節限定のケーキが大人気でねほとんど予約完売だよ
ケーキも限定発売の時代か!
まずケーキ作りの基本を知ってもらおう
作業効率がよくなるからね
かき混ぜてみてくれ
わしがやるのか?
なんかケーキ教室に来たみたいだな

違う 違う
シャカ
シャカ
もっと早く
このようにするんだ
素早く短時間で!
シャアアアアア
けっこう力がいる仕事だな
ガシャ
ガシャ
あと5分間全速力で!
くそ!
大変だな
ガシャガシャガシャ
ここへ粉を入れて
さらにかき混ぜる
本当に力仕事だ!
ガシャガシャガシャ
混ぜたら型に流し込み
オーブンで焼く
これでベースは出来る

こちらに焼き上がったものがある
3分クッキングみたいになってきたな
これを3分割する
間にクリームを入れるわけだ
生クリームをホイップだ
もっと早くしないと固まらないぞ
時間がないので電動を使う!
始めからそっちでやれ!
限定品などは・・・手作りでないといかんのだ!
今回は特別だ!
機械でも手でも変わらんよ!
シロップを塗りホイップクリームを平らに塗る
左官屋並だ さすがうまい!
ペタ
ペタ
その上にイチゴを置いて
さらに生クリームを塗る
1段目を終了!
2段目も同じ事をくり返す

海苔《のり》弁当の2段重ねみたいだな
そう全く同じだ
3段重ねたら全面にクリームをまんべんなく塗る
ケーキらしくなってきたな
ここからデコレーションだ
それ!わし得意だ
麗子に教わった事がある
ほう上手だな
細工は好きだからな!
ショートケーキの完成だ
せっかく3段にしても全然わからんな
カットする時にわかる
ほら
なるほど!
これがデコレーションケーキの基本だ
自分で作ったのはおいしい

ガキの頃食べたケーキのクリームはもっと固かった気がする
以前はバターをクリームに混ぜて作ったバタークリームが多かったな
あれは細工しやすく日数ももつからな!
油っぽくて3個食べると目まいがするほど気持ち悪くなったぞ
サクランボのニセ物や仁丹《じんたん》みたいなのがのっかっていて不気味だったな!
当時は兄弟でむしゃぶりついて食べたけどな!
ケーキなど珍しい時代だったからな!
先輩けっこう長く続いてるね
もうすごいわよ
ケーキ作りに凝っちゃって自分でアイディア出してるのよこの頃は派出所でも作ってるのよ
ちょっと見てくれ

シューマイと梅干としじゃもをアレンジしてみた
和風ケーキだ!
何かにおいますね!
生クリームのかわりにミソを全体に塗った!
いいアイディアだろ!
中には納豆がサンドされている!
あまりおいしそうな気がしないいな
あまり売れないと思うわ
そそうか
じゃあ・・・カレーケーキはどうだ
本物のカレーがかけてあるんだ
中にはヤキソバが入れてある
カレーパンヤキソバパンに代表されるこの2点は日本人が好きな食べ物だ!
確かにそうですが…
日本人のとどめはこれだ!
米とケーキをサンドしたライスケーキこれしかないだろ!

ライスハンバーガーなどという ほとんど焼きおむすびをつぶしたような どこがハンバーガーなんだかわからん品がある時代だ
米のケーキがあってもいいじゃないか
いいじゃないかと言われてもこれは…
発想は奇抜で面白いと思いますが……
だめかな
だめだと思うわ
じゃあまともな野菜《ベジタブル》ムシパンケーキはどうだ!
それはまともそうね
間に野菜いためが入ってる!
やはりまともじゃない
見た目はスポンジケーキみたいだけど…
どこが・・ムシパンなの?
ん!?
中にイナゴのつくだ煮が入ってる!
ブツッ
きゃあ
気持ち悪い! 何よそれ
ばか! ちゃんとした食べ物だぞおい!
ほらカルシウムたっぷり
ムシャ ムシャ
TRIO
絶対売れませんよ! それ!

Merry X'mas
ミリタリーケーキを考えたんだが
ほう!
砲頭が花火になっていて
お子様大喜び!
確かに面白いが…
クリスマスの雪だるまのホワイトケーキ
なるほど
売れ残った場合は 頭を変えて……
正月用鏡もちケーキに変身!
これなら大量に作っても余る心配はない!
正月までケーキがもつかな?
クリスマスや誕生日だけケーキ売ってちゃだめだ! これからは
1年を通してまんべんなく売らないと!
どうやって?

私がこのように表にしてきた！
毎日がケーキの日
1月 成人ケーキ(15日) 正月ケーキ(1日)
2月 豆まきケーキ(3日)
3月 大空襲ケーキ(15日) ひな祭りケーキ(3日)
4月 春一番ケーキ(10日) 新入学ケーキ(7日)
5月 子供の日ケーキ(5日)
6
1日3食ケーキを
そこまでやるとは…
あまい！これはまだ手ぬるい方法だ！
来年からさっそくスタートさせる
おせちケーキセット！
見ただけで口の中が甘くなるだろ！
さらに追いうちをかけて…
すごい…
お目出たケーキ!! 結婚式にも使える!!
すべてケーキで作ってある！
砂糖やカマボコで作る鯛があるだろ
ケーキ細工ならこんなにリアルに出来る！
さすがだ…
同時に「めでたい時にケーキを食べよう」キャンペーンを打つ！
大手の式場とタイアップして専属契約を結ぶわけだ
ケーキは甘い！甘いはケーキ！これで男の客をかなり失っている
これからは塩味ケーキビーフ味ケーキソース味ケーキ
男のケーキを売り出すべきだ！

その第一弾として！チョコエクレアにすしネタをのせた これ！
商品名「すしケーキ」!!
日本の代表的なすしとエクレアのマッチング！
これは売れる！
ぜひ明日からお店に！
君食べてみてくれ
え!?
私が!?
い…いいでしょう食べてみましょう
私のような江戸っ子はスシには目がないからな！
う うまい
ワサビとチョコのまったりとした…
パク
うえっまずい!!
やはり……
麗子の会社でクリスマスパーティーを!?
いつも あのケーキ屋さんで特注するのよ
去年はウエディングケーキぐらいの大きさで立派だったわ

ようし 今年は わしが全面的に 協力して 巨大な ケーキを作ってやる
先輩 これ 署内での ケーキ注文表です
部長も 買うんですか ・・・ わたしの店で
おいしいと 評判らしい からな
わしのケーキに お前は 触るなよ! バイキンが ついたら大変 だからな!
く…
くそ
こんな 巨大な ケーキを!!
麗子の方は 金が死ぬほど あるから 大丈夫
さっそく 明日から かかろう
まずは 部長の ケーキだ
わしが 特製のを 作ってやる
部長の キライな物の オンパレード!
まずは 山イモと セロリ!

クサヤのひものと青カビチーズ！
プーン
うっくさい！
上には 山イモとミソを混ぜて作ったリアルなオブジェを！
色といいつやといい！すばらしい
マジパンで作ったハエを両サイドに！
こういう小物が より引き立たせる
開けてびっくりたまて箱だ
むふふ
平和な家族が一瞬にして恐怖のズンドコ
特注 一千万円の巨大ケーキ作りが両さんの指揮で始まった
ゴゴゴゴ
すごい大きさだ…
パーティーに集まる1,000人分のケーキだからな
生ものだけに作業は昼夜続けて行われた

総重量が15トンとはすごいな…
明日のクリスマスイブには完成させる予定だよ
これで内部の作業は終了だ
ここならかくれてられるな
パーティーが盛り上がってきたところで わしがバニーガール姿で登場!!
千人の どよめきが聞こえてきそうだ
最高の演出…
ふあ～～
ふああ……
徹夜続きで 両さんはすごく眠たかった
ちょっと気を許したスキに睡魔におそわれ……
……
完全に熟睡してしまったのであった
その間 中に入っているとは知らず 作業はどんどん進められて…
生クリームで完全にまわりをふさがれてしまった
そして そのまま翌日のパーティー会場へと運ばれた
Merry X'mas
クリスマス レゼント 大抽

え？両ちゃんがいなくなった
作業の途中で急に…
全然心あたりがないんですよ
両さん用
せっかくローストビーフ30人分用意してあげたのに
先輩パーティーは必ず来ると言ってたのにおかしいな…
大原《おおはら》さんのご注文のクリスマスケーキなんですが…
出来ましたか!?
本当に・これでいいのですか？
両津さんが作ってくれたのですが…
あり〜くるしみます
そ・そう！こういうのを注文したんですよ…
そうでしたか
両津のバカはどこだ
来てないのよ
食べ物につられて来るはずなのに…
あいつめ……
何かあったんですか？
う〜む……
なんか暑いな…
あっ
しまったうっかり熟睡してしまった

くそ…完全にふさがれてしまったか!
うぬ!重くて動かん!
声が聞こえる
ガヤガヤ
どうやら会場に運ばれてしまったらしいな
まったく両津は……
あっ
部長の声だ!
パンパン
部長私はここです
ん?
誰か呼んだ気が…
まさか……
部長
たすけて…
ケーキを作ってる最中にいなくなったんです
おかしいわね…
さぼっていて中にとじこめられたのか
これはいいチャンスだ
ニヤ
息ぐるしくなってきた!暑いな…
こんな所で死んだら両津家の恥だなくそ!

15トンの重量だからビクともせんな!
なんとかここから出ないと!
よし! 食べまくってやる!
パクパクパク
ペッペッ まずい
頑丈にするためバタークリームを使ったんだ
スポンジの部分だけを食べよう
このまま食べ続ければ…
うっ! パサパサで口が乾く!
水がないととても 食べ続けられん
そうかよく考えたら無理に食べる事ないんだ
下に落としていけばいいんだ
なんの因果でこんなアリみたいなマネを!
体中ベタベタしてきた
ドス
うわ!
まず一本目入刀!
ワー
ワー
パチパチ
パチパチ
面白いアイディアですね

来年の夢を願いながら一人ずつ入刀するとは！
ケーキの中から人形が飛び出すかも知れんぞ
はははは
ハハ
じょ冗談じゃないぞ
外で物騒な事言ってるぞ
うわ
ドスッ
くそ部長の仕業だな！
中に入っているのを知ってて！わざと
ドス
ドス
ちくしょう！
こら！もうやめろ！
本当にささる
何かさけび声が聞こえない？
別に何も！
盛り上がった所でいよいよケーキカットだ！思いきりスパッと！
早くここから出せっ

★週刊少年ジャンプ1992年３・４合併号

野性《やせい》の証明《しょうめい》!?の巻《まき》

亀有公園
派出所は地域住民とのふれあい…
朝日新聞
住民トピックス
カシャ
ROLLEIFLEX
そして住民のみなさまに信頼されるよう心がけております
信頼されるお巡りさんというわけですね
まあそういう事ですな
休息をとる部屋もぜひ!
こちらです
あっ先輩!あとかたづけをまだ…
え!?まさか

あっ!
遅かった!
アダルトビデオが
ここれは部下の個人的な品で……
休息中こんな物を…
素人投稿ビデオ
アダルトビデオカタログ'92
AV通信
山田花子
どいて下さい一枚!
写真はやめて下さい!
誤解のないよう!あくまでも部下個人の品で…
先輩!夜勤の時はいつも数本持ち込むからね

ばかもの!
なぜ
あんなもの
置いとくんだ!
取材が来るなら
事前に
教えといて
下さいよ
人の部屋を
留守中に
のぞく方が
反則ですよ
いつから
お前の部屋に
なったんだ
こら!
なぜ
あんな物
見るんだ
!
すごくいい
ビデオだからと
友人に すすめ
られまして
なに
そういう友人と
ばかり
つきあうんじゃ
ない!
家に帰って
見ろ!
派出所で
見るな!
く くるし
……
部長!
車がお待ち
ですが…
わかった
すぐいく

亀有公園前派出所
そんな生活してるから署のアンケートで結婚したくない男 ナンバー1《ワシ》に選ばれるんだぞ
確か4年 連続でV《ブイ》4とか…
うるさい大きなお世話だ
誰だって見るだろアダルトビデオくらい！
どこが悪いんだ!!
見ませんよ普通は！
両ちゃんだけよ目の色 変えて見るのは！
じゃあ なぜレンタルショップにあれだけの数置いてあるんだ！
なぜ新作が毎週リリースされるんだ みんなが見てる証拠だろ！
特定の人だけ毎回 借りてるんですよ 数多く！
両ちゃんタイプ以外の人には興味がないわよ！
汚い物を見るような目で言いやがってくそ！
全国のスケベ代表にしたな！ う――ぬ！
部長みたいなマジメタイプは間違いなくスケベだと思うがな！
仲間にひきずりこめば同じ穴の狢《むじな》になるようし！

※米国《アメリカ》の実験で映画上映中、1秒24コマの1コマに「コーラ」という言葉を入れつづけた所、本人の自覚なしに自然にコーラが飲みたくなってしまった。これらを人間心理のサブリミナル(潜在意識)という。

まったく
派出所を
カラにして
……
ん？
また両津
こんな
物を！
まったく！
………
無口に
なったぞ
いいぞ
おっ
キョロ
キョロ
これは
いける！
ようし
いけ！
GO《ゴー》
やった！
ガチャ
トラップに
かかった！
ふふ
これで仲間に
なった！
部長！
来ているん
ですか？
ドキッ
げっ!!
中川か！
ちょっと
待て！
今すぐ
いく！

どうしたんです 汗をかいて
ちょっと走ってきたものでな
正体を見たぞ
これで弱味をにぎった！
な なんたるイージーミス！
録画と再生を間違えて押してしまった
ボタンが小さくて間違えたか… くそ〜〜〜
証拠がなくなってしまったか！
よし！撮れたという事にしておこう！
ビデオを見たのは事実なんだからな！
部長
交通安全週間
警視庁
なんだ
ちょっとお話が

きのう 私の アダルトビデオ 見たでしょう
ドキ
知らん そんな事は ない!
ほう! そう ですか!?
部長がビデオを 見てるシーンを テープに ばっちりと
なに!
もう 私の事は おこれま せんよ!
ふ ふ ふ
お互いに 仲間です から…
どんな テープか 見せて みろ!
ドキッ
えっ
こ これは 秘密です!
とにかく 部長の いやらしい 顔がバッチリ と…
むふふ
どうも あやしい
どうせ お前の作った インチキテープ だろ
な なに!
決して インチキじゃ ない!
録画ボタンを 間違えて いなければ ちゃんと写って…

あっ しまった
危ないところだ… そういうわけか
お前がバカでたすかったよ
あっ待て！
おい みんな聞いてくれ
部長がわしのエロビデオをこっそりと見たんだぞ
お前熱でもあるのか
あっ ひらきなおったな
部長さんが見るはずないでしょう
何かの間違いですよ
本当だ！信じてくれ 昨日派出所で見てたんだ！
それは両ちゃんでしょう！
先輩 すぐうそをつくから…
普段の態度が物を言うわけだ わかったかね！
ポンッ
くくく…

数日後
ひひひ両さん！
・・・上物のビデオが入ったよ！
でかい声出すんじゃない！
えっだって！
いいから奥へ！
またおげれつビデオですか
うるさい勝手に決めるな
しばらくは出入禁止だと言ったろう！
最高なんだよこれが！
ほら
あ
ツイン・ピッグス10
ツイン・ピッグス9
ツイン・ピッグス8
ツイン・ピッグス7
ツイン・ピッグス6
ツインピッグス5
ツインピッグス4
ツインピッグス3
ツインピッグス2
ツインピッグス1
悪いけどこんなのは見たくはないぞ！
それが違うんだって！
中身があっと驚く極上物!!全10巻
なに
テープを見ても気づかれないだろこれなら
なるほど見事だ！

藤田《ふじた》くん！
上物の「ツインピッグス」持って来てくれてありがとう！
前からこの作品は見たいと思っていたんだよ
そう思ってね！
なんだ！勘違いか
今人気の「ツインピッグス」全巻ね！
がはは
そうやはりこういう名作見ないとね！
お礼に藤田君に寿司をおごってやるから
ちょっと出かけてくる！
先輩でもまともなビデオを見るんだな
交通課のみんなも見たがっていたわ！
ツインピッグス
全10巻セット
えっ無断で借りるのかい！
今日中に徹夜で全巻見るわ大丈夫よ！
ツインピッグス
全10巻セット
なに！麗子が持っていった!!
亀有公園前派出所
警察
女子寮でみんなで見るとか…
勝手に貸してまずかったですかね!?

なぜ貸してしまったんだ!
友人達が「ツインピッグス」みたいからと……
あれはただの「ツインピッグス」と違うんだぞォ
大変な事になった!
あれを見られてはますます品性下劣に…
きゃあ
ダッ
麗子はどこだ!!
203号室よマリアちゃんの部屋に!
203号室だな
きゃあ
何よいきなり
あっ
両様!
よかったまだ上映前か

わしの「ツインピッグス」返してもらうからな！
あーー
えっ そんな！
一日だけでいいから貸してよ
だめだ！
この「ツインピッグス」は見てはいかんのだ！
ピッグス
とにかく持って帰る
えーー
あーーぁ
ひどい
意地悪
ツインピッグス
両ちゃんも一緒に見ればいいでしょう
こら やめろ
おい マリア たすけろ
マリアちゃんは私達の味方よ！
ごめんなさい 両様も一緒に見ましょう
だから駄目なんだって！
こ こら やめろ
つけるわよ
電源
PLAY▷
再生
やめろと言ってるだろ

きゃあ
きゃあ
どうだ!これで見れまい……
ふふふ
信じられない行動力!
となりの部屋で見ましょう
そうね
こらっ
くそ!
きゃあ
テープを食べてるわ!
こら!よしなさい!
行ってしまったくく…
体を張って止めているのに…くそ!
キャア!!
カク
終わった…すべてが…

変態!
不潔!
だからこの「ツインピッグス」は普通のじゃないと言ったろ!
やらしいわね!
信じられないわ!
変態
不潔
けだもの
け けだもの…
お前らがあこがれてる中川だってな!
一緒にエロビデオを見たんだぞ!
男はみんな獣だぞ!
中川さんは清潔よね!
きっと無理矢理見せられたのよ!
嫌がってるのに
そういう事をする人って本当に獣ね
両津さんて見かけも獣だわ!
ねー
言わしておけばてめえら
きゃあ
うっ
ガッ
ガシャ
ぬわ

わーい いい気味!!
ベーだ
コン
コン
くそ
マリアも女の中に入ってすっかり洗脳されてしまった
絶対しかえししてやるぞちくしょう
ゴキブリ駆除ですか?
薬をまくので3時間ぐらい寮から出ててもらえますか
駆除係
聞いてなかったわ!
でもゴキブリはいやだものね!
ゾロ
ゾロ
全員 出ていったか?
早いところ仕事にかかろう
ガサ
全室のテレビの配線を変えるのか
そう 一台残らずだ
これをつければビデオ入力に切りかわり自由に映像が流せる
VHF
UHF
TV セレクター
よし!

本当にやる気かい両さん
人を獣と言いやがった!
獣の恐ろしさを教えてやる
コントローラーの方はOKだ!
よし!
さあ準備はできたぞ
カメラもOK!
ラインをビデオカメラに!
VIDEO
あら
どうしたのかしら?
すべて用意はできたぞ!
いくぞ!
ご清潔の婦警どもめ覚悟しろ!!
目に物を見せてくれるわ

見ろ!!!
わははは
驚け!!
獣の
参上だ!
ジャン
ぎゃあ!!
ざまあ
みやがれ
!
思い
知ったか!
てめえら!
わははは
きゃあ
きゃあ
きゃあ
こら!
待ちな
さい!
外出は一声かけて
カギかけて
誰か
あの人を
捕まえて!
こら
待て
交通係
捕まる
もんか!
毎晩
テレビに出て
やるからな
わははは
ワー
ワー

★週刊少年ジャンプ1992年29号

両《りょう》津《つ》リサーチ会《がい》社《しゃ》の巻《まき》
KYOTO
BMW
MOMO

スーパートレンディドラマ
愛《あい》の盆《ぼん》踊《おど》り
つづく
つまんねぇドラマだ!
どこが面白いんだ?
うーむ
驚異の高視聴率と今評判なんだが!
TVプログラム
先週の視聴率もすごいぞ
本当だ
視聴率
好評トレンディ・ドラマー
の盆踊り 28.0
ビバビバQ 17.4 15.2
ならねばねば 14.9 14.5
その数字適当なんじゃないのか!
まさか
東京だけでも一千二百万人も住んでるんだぞどうやってアンケートとるんだ!
テレビの中に視聴率を調べる装置がついてるんじゃないのか?
100台に一個ついてるという噂もあったたな
つけたテレビなど見た事もきいた事もない
どうやって数字を出すのかな?
わしなどバラエティーを毎日見てるが視聴率がひくいぞ!
うーむ七不思議のひとつだな

なんかビデオでも見よう
確か法条《ほうじょう》がいっぱいビデオを持ってる
法条
えっビデオですか!
お気にめすのがあるかどうか?
ガラッ
すごい数だな
堅そうなビデオばかりだ
こういうのばかりですよ
いや!まじめなやつほどおげれつなビデオを収集してるものだ
しかしタイトルが
内容がとんでもなかったりする例もある!
見てみましょう
カシャ
中身もそのままですよ
NHK特集
21世紀を考える
～明るい未来を求めて
うーむ面白くもなんともないやつだ!

帰ろう！とても我々が見たいビデオはなさそうだ
ちえっ
ん？
あれは？
MR TV SENSOR
なんだデッキの下に入ってる機械は？
あっそれは！
そのあわてぶり！これは大切な物らしいな
いや！別に…
さてはモザイクを消す装置だな！
なんだって
ち違います！
正直に言わないとくすぐりの刑だぞ
やれっ
わははは
わははは
やめて下さい
はは言いますははは
ははは
本当か！
はは！はは！はい！

※マスターサンプルは、国勢調査の調査区を利用して選ばれますが、国勢調査の個人情報は一切使われておりません。

このなん%かになってるわけか
17.4
14.9
14.5
そう考えるとすごいな！
一件一件調査に来てたとは……
最近はビデオデッキにも同様にメーターつけてるらしいですよ
これはほっとく手はない！
テレビ局に視聴率を売りに行こう！
だめですよ！
そういう人がいるから秘密なんですよ
なるほどそういうわけか…
不正がないようマスコミ関係者はサンプル世帯から除かれてるんです
うーむさすがだ！
じゃあなぜわしの所にリサーチ会社が来ないんだ
それは私にはわかりませんよ
お前の装置をもらうぞ！わしがモニターになる！
あっ駄目ですよ
お前のデータなど必要ない！
わしならこのデータを生かす事ができる！
もう

TOKYO 14 CANNEL
東京14チャンネル
本当に視聴率を売る気ですか？
多分売れると思う！
おっ来た来た
愛という名で18で
プロデューサーの素輪《すわ》です！
なんか特別な話とか…
そうそう！
ちょっと耳を！
はっ！
実は私視聴率調査のサンプルになっているんですが
えっ!!
ちょっと奥へ！
なっバッチリ

この関東地区の場合
テレビ所有世帯が約1,300万世帯
リサーチ会社はその中から約300世帯を抽出し調べるわけです
なに！たった300！
意外に少ない…
300世帯で100%という事は
3人で1%
30人で10%ですね
視聴状況を分単位で記録し翌朝 データをセンターに伝送…
コンピューターで集計し その日の正午までにこのように届くわけです
なるほど…
300と言っても一世帯入ると一世帯減らして絶えず入れ替えて流動させてます
するといつかは順番がまわってくるわけだな
関東全体ですから広いですよ
3年間の契約になってるようです
3年間は集計されるわけか！
おたくのテレビを毎日見ると視聴率も上がるんでしょ
ずいっ
そりゃもう上がりますよ

視聴率の現状はこのようになってましてね
これは一人分の24時間のデータです
あっちこっちにチャンネルを回してるな
NO.
名 山田山男（21歳）
所 港区芝7丁目
業 亜板男子短大
PM
フジテレビ
TBS
テレ朝
日テレ
テレ東
NHK
今はリモコンですからねネコがふんでもチャンネルがかわります
4秒見てるとデータに記録されます
チャンネル式の頃はCMの時にまわす程度でしたが
リモコンになってからチャンネルのつまみ食いで落ち着きがありません
リモコン
チャンネル
確かに昔は冬などチャンネルかえるのがめんどうだったな
チャンネル回してこい！
さむいからやだ
いいよこのままで
今はちょっとでも面白くないとパッパかえますからね！
高視聴率の野球でもこのとおり
ここでほとんどチャンネルをかえてます
なぜだ？
サンプル①
家庭A
家庭B
家庭C
四番打者が三振したんですよ！
すごいシビアだ
リモコン普及がこんな風に
……

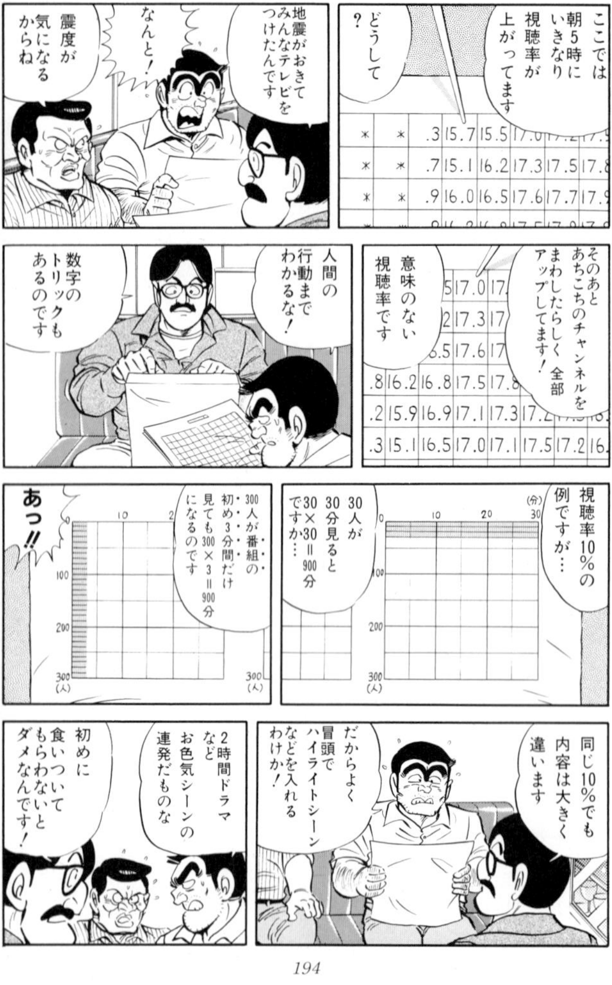
ここでは朝5時にいきなり視聴率が上がってます
どうして？
地震がおきてみんなテレビをつけたんです
なんと！
震度が気になるからね
そのあとあちこちのチャンネルをまわしたらしく全部アップしてます！
意味のない視聴率です
人間の行動までわかるな！
数字のトリックもあるのです
視聴率10%の例ですが…
30人が30分見ると30×30＝900分ですか…
300人が番組の初め3分間だけ見ても300×3＝900分になるのです
あっ!!
同じ10%でも内容は大きく違います
だからよく冒頭でハイライトシーンなどを入れるわけか！
2時間ドラマなどお色気シーンの連発だものな
初めに食いついてもらわないとダメなんです！

この忙しい世の中で 2時間ひっぱるのは大変な技です
10分おきに山場をつくりお色気シーンでひっぱらないと！
連続ドラマなど有名女優を大金出して起用し2話目からは外国へ行って いつ帰るかわからないという設定でひっぱるわけです
サギに近いぞ！
また 人気時代劇の直前の番組が異様な高視聴率という例があります
これは年配の方が事前にチャンネルをあわせスタンバイしてるからです
ニュース
25%
人気時代劇
25 %
その高視聴率者をそのまま逃がさずに
似たような番組でそっくりいただくという方法もあります
8時
9時
10時
23%
江戸の歴史
25%
時代劇
22%
剣道一直線
あの手この手でいろいろ考えてるんだな
まだドラマはいい方ですよ
コーナーでつなぐ番組などはどのコーナーでチャンネルをまわされたかわかりますからね
そのコーナーのディレクターは命がけですよ
オープニング
コント①
CM
歌
CM
コント②
ゲストコーナー
爆笑テレビ野郎
そのキーをにぎるのがわしらサンプル世帯か！
45,000軒に1軒ですからね
私の一票が45,000世帯分です！
サンプル世帯が60軒協力すれば20%確実に獲《と》れるわけだろ
そういうわけにはいきません

もし・・そういうわけに・・いかせたらお礼を忘れるな
えっ まさか!?
マーケットリサーチ社というのはきいた事ある
確か中川の関係会社だ
本当ですか
残り299人の名簿が手に入れば……視聴率は自由自在だ!
MR LTD.
中川会長の親戚の両津様?
調査世帯は関係者でも極秘ですが
ちらっとみるだけ こいつの名が本当にあるかどうか
よし! うまくいった
盗む気ですか?
少々お待ち下さい
お前の頭で20秒で全部記憶するんだよ
えっ!?
299人の住所名前を!

東大出の頭を生かすんだよ！
キッ
これですが
ところで中川は元気か
ええお元気です
300人目が…2丁目35-6南郷勇一《なんごうゆういち》です…
よし！これで300人すべてわかった
一都七県か！うーむ さすがに広いな
これをいかにひとつにまとめるか…
かなりの投資が必要だな
どうやる気ですか？

あったぞ
メーター
装置が！
二階にも
テレビが
あったか
まるで
ドロボウ
ですよ
置いてある
リモコン
テレビの
メーカーに
セットして…
この角度
だな
法条！
14を
押してみろ
はい
ん？
おかしいな
急に
チャンネルが
ピッ
よし！
セット
できた
300人目
は？
目黒区
です
あの
マンション
か？
あの位置
なら
ここからでも
ピッ

よし
かわった
これで
すべて
セットは
終了
また
地下
ですか
電柱だと
切られるかも
知れん
地下ケーブルが
安心だ!
芸が
細かい
チャプ
実験だ
NHKの
「ゲートボールで
GO!GO!」
これを90%に
しよう!
ちゃきり金太
古今亭志ん朝
00ピロン」の秘密
15矢車剣之
00名犬ロンドン物語
画宮田光
00N天
15ゲートボールで
GO!GO!
出徳川夢声
45おい
出勝
00サーフサイド6
出トロイ・ドナヒュー
画石浜朗ほか
00月曜日の男
出待田京介
12
1
300世帯すべて
わしの手の内に
ある
これで
なん%でも
作れる
よし!
ゲートボールで
GO!
GO!
すべての
チャンネル
NHKだ
パッ
パッ
パッ

チャンネルを戻してますよ！
そうはいくか
なん度でも1にしてやる！
戻させるものか！
カチャカチャカチャ
すごい早さだ！
翌日
TOKYO 14 CANNEL
67.5だと信じられん
素輪様お電話です！
テレビ視聴率日報
ふふふふ見たかね昨日の視聴率を！
その声は!?
取り引きしよう1％1万円で売りたい
確かにマーケットリサーチ社では67.5％だが…
他のリサーチ会社の数字は0.4％だが
ぎく
また会おう明智《あけち》くん
ガチャッ!!
ツーツー
あっもし！もし！

一社だけじゃ
だめだ!
残り2社も
やらねば
えっ
どうやって
!?
同じ
方法だよ
来い!
無茶
ですよ!
そんな事!
不可能を物ともしない両さんは
残り2社も調べあげて 一軒一軒
リモコンをセットしたのであった
マップ 葛飾
両津独自テレビ
ーリサーチ会社ー
900世帯におよぶ配線と
機材は ヘタなケーブルテレビ
会社 顔負けであった
コンピュータウィルス
のごとく いたずらを
しまくった
天気予報の視聴
なんと
58.8%
史上初!
葛飾スポーツ
13日放送の視聴率が58
テレビ局大あわて
それにつられてマスコミも
おどらされてしまうのである
天気予報が大ブーム
超特集!!
お天気番組
ウラの裏
大特集
今、天気予報がおもしろい!
平均視聴率がなんと!30%突破!!
天気番組
総チェック

いやあ楽しい！まるで神のようだ
わはは
サンプル世帯をかえられています急速に数が減ってます！
なに！
本来は一ヵ月に8～9世帯ずつ入れかえるのにリサーチ会社が変に思って新しく入れかえているんですよきっと！
せっかく配線したのに！くそ
「両津リサーチ会社」がつぶれんうちに営業をとらないと！
ピピ
金曜の7時～8時「ルンバでチャチャチャ」だな！OK！
TOKYO 14 CANNEL
33%獲らす！スイス銀行亀有支店に33万振りこんでくれ！
わかった！私の命をかけた新番組だ！
よろしくたのむ
ルンバでCHA CHA CHA 新番組 ON AIR
見ろ！すべてのテレビ会社から依頼がきた
わははは
設備費をぬいても大もうけだ！わははは

900世帯におよぶ配線
など無理がたたり…
タコ足部分から
発火してしまった
視聴率操作をする前に
火はあっと言う間に
燃え広がった！
高視聴率を予定していたテレビ局も
番組がコケて大パニックとなり
犯人逮捕
なんと個人で
視聴率をあやつる！
1%1万円で売る
両さんは世間を騒がせた張本人として
マスコミに大いに叩かれた
先輩が捕まった
ニュースの視聴率が
83・4%で
史上最高だとか
本人も
さぞや
大満足
だろうな
まったく
お騒がせな
人ね……
ズズ
世界初!! ハッカーポリス
ニュース
視聴率 史上最高！
83.4%を記録!!
どんな顔か見てみたい心理!?!!!
NHK第14回
紅白82.4%を
うわまわる数字
ビデオリサー
おどろきまし

★週刊少年ジャンプ1992年26号

バスルーム狂騒曲《きょうそうきょく》の巻《まき》
右女助さん江
浅草演芸ホール
大入
演
芸
笑い！
しさいっぱい・夢いっぱい！
テレビでお馴じみ
立体落語
浅草演芸ホール
神田黄緑
林栄丸
浅草演芸ホ

ばかもの
春の交通安全月間
警視庁
だから謝ってるじゃないですか!
今さら遅い!
だいたいお前というやつは
部長の大声で民間人の方がたが驚いてますよ!
交通課
なんでもありませんから!気にしないでください
DRINK
余計な事はいい
ゴキ
ごふっ!

だいたい
ゴホッ!
ゴホゴホッ
あっ
おい水だ!
水を早く
ほらみなさい!
興奮して大声を出すからですよ!
お前がおこらす原因だろ
ちょっとこっちへ来い!
グイ
あいたた耳がちぎれる!
部長! もっとおだやかに…
うるさい!
すさまじいな…

みんなの前でどなりちらすんだぞ!
警察官ぼしゅう
あそこまでおこる事ないのに
一体原因は何なんです?
ただ犬のクソを花林糖《かりんとう》の中に混ぜといただけだよ!
たまたま本庁の偉いさんがそれを食べてしまったんだ
そしたら大騒ぎになってな!
それは両ちゃんの方が悪いわよ
だれでもおこりますよ! それじゃあ

あたたかいユーモアだろうが！そんなの！
全然ユーモアじゃありませんよ！
それにしてもくやしい………
なんとか部長にひとアワふかせたい
甘納豆《あまなっとう》の中にウサギのウンコを混ぜるか…
どうも発想のレベルが変わらんな！
部長最近 何に凝ってるかな
この顔にピンときたら110ばん
そうですね
お風呂に凝ってますよこの頃は！
檜《ひのき》の立派な風呂を作ったらしいですよ
なに風呂を⁉
正月に家の一部が壊れたでしょう お風呂場も特別に新築してもらったとか言ってました
来週は その改築祝いに行く予定なんですが
先輩も行きますよね！

なるほど
ニヤッ
お風呂か…
入浴剤ですか!?
そう!
子宝の湯
美人湯の里
名湯の里
日本の秘湯
部長にプレゼントするんだ
まあ
ただではあげない
ビリ ビリ
中身を入れかえてやる
サラ サラ
スペシャル入浴剤にな!
とうがらし粉わさびこしょうなどすりつぶす
これは血行がよくなるぞ
ゴリ ゴリ ゴリ ゴリ
どれ
ちょっとなめて…

うおっ
ゴホッ
強烈だ！
これはすごすぎる！
ショック死するかも知れん！
クリープを入れてマイルドにしよう
サー
これを「名湯の里」の中に入れて…
元どおりピッタリしめとけば…
サラ サラ サー
できた！
スペシャル入浴剤完成！
名湯の里
イオウ泉
パニックになる所を見られないのが残念！
くくく…
続いて第2弾「ウグイスの糞」
ぜひ全身で試してもらいたい
本物のニワトリの糞と金魚の糞も混ぜて完成！
名付けて「肥え溜の香」
ゴリ ゴリ ゴリ ゴリ

次は みそ汁
お茶づけ
コンソメ
コーンスープ
部長のいいダシが取れそうだ!
サラ サラ
なんか調合するのが楽しくなってきた!
次は 何を混ぜようかな!
シーモンキーとカブトエビの幼卵を入れよう
何してるのかしら
最後に
究極の入浴剤!
浴優館
石膏《せっこう》である!
石膏
サラ サラ
部長の型がとれるな
1/1の人形が作れるぞ
この石膏は固まるのが速いからな
気づいた時にはカチン!カチン!
すばらしいプレゼントだ
むふふ
部長の家に行くのが楽しみだ

家もすっかりきれいになったよ
風呂もシステムバスだったのが
念願の檜の風呂にしてもらってな！
よかったですね
そこでお祝いに……
これを
おお
檜の桶のセットか！わしの名前まで入っているすごいな
江戸職人にたのんで作ってもらいました
いやあありがとう
大原
私からはバスローブ
これもすごいな！
バスローブセット

これは何だね
BATH FOAM
シトラスミント
バスフォームです
お風呂を泡立てる入浴剤です
外国映画でよく見るやつだな
これがそうなのか
中年男が泡の中でたわむれる姿は不気味だ…
先輩!
部長私からも…
ん?
フフ…
部長ハダのつやがいいですね
わかるか!?
はは
実は温泉の入浴剤を使っているんだ!
そうでしょう!!
そこでこれです
温泉入浴剤のセット!!
浴優館
自然の香り体に優しい
山輿の名湯
子宝の湯
美人湯の里
日本の秘湯
名湯の里
奥飛騨の蘇
部長にピッタリでしょう
確かにそうだが…

お前の祝いが一番安い
な 何を言うんです！
お金より心です！
そうだったなすまん
じゃあ寿司でもとるか！
やった！
母さん寿司の「特上」を三人前！
それと寿司の「下」を一人前
わははは
いやあ今夜は楽しいな
せっかくだから風呂へ入っていくか？
わははは
えっフロに！

いただいた品を早速使わせてもらうよ
入浴剤も…ですか…
中川!部長がああ言ってるんだ風呂をごちそうになれ!
ぼくは風邪ぎみなんです
私はあとで……
なに言ってるんだ!先に入れよ
両津!一緒に入ろう!
私ちょっと風邪ぎみで…
コホ
コホ
新しい檜のお風呂入りたいって言ってたじゃない
うるさいだまれ!
ガラになく遠慮するな!来い!
いやあの…
グイイッ
私風邪をひいて…

ウソをつくんじゃない
部長珍しく酔ってるな
いや!やめて
これが自慢の風呂だ!
わははは
あいたた!
すごいだろ!
さっそく使わせてもらうぞ
サラ
サラ
「肥え溜の香」を…
うっくせえ
プ〜〜ン
いやぁいい香りだ
わはは
酔っぱらっているせいか気づかない…

じゃあ私もひとつ
ザーー
あー気持ちいい!
さっぱりした!
それじゃあお先に!
ガラ
こら
湯船に入らんで上がる気か!
ぎゃあ
やめてください部長!
男同士で組み合うのは!
入ればいいんでしょ入れば…
うっ気持ち悪い…
チャポン
肩まで入れよ!

なんでこんな目に……
プ～～ッ
もっと入れよう
サラサラ
あっ
それはだめです!
とうがらし……
うるさい
がぼっ!
ひいから～い!
目が! 目が!!
体を洗いましょう
今のうち湯をうめておこう
いやあすまんな
ドドドドド

背中にも男のしぶさがにじんでますね
ゴシ
ゴシ
わはは
いやあそうか
ようし今度はわしが流してやる
あ…結構です
わしには流させんつもりかァ!
くわっ
わ わかりましたよ
今夜は悪酔いしてるな……
これか……
ボディシャンプー
シトラス
フロキラー
塩素系
まぜるな危険
わしは洗うのが得意でな
チュッ
はいはい
どんなよごれもわしの手にかかれば…
ひとかき!
ぎえええええ

部長！それはワイヤーたわしです
おっとこれは失敬！
あまり背中がごついのでタイルと間違えた！
がはは
なんで風呂場にそんなのを置いとくんです！
ぎえ〜〜〜しみる!!
それはタイルを洗うやつですよ！
あっ
もう上がります
あっこら！
なぜわしと入らんのだ！
ぎゃあ
フルチンでしがみつかないでと言ったでしょ
気色悪い!!
地獄絵図だ……これは…
ん？
それはいけません
何が

早く脱出しないとやばい!
ザザザッ
あっ!
先に出るなと言ったろ!
がぼ
ザシャッ
今 入れたのは石膏なんですよ!
ばか言うな!
ザシャ
ザシャ
なんか熱くなってきた
ほら―― 凝固作用が始まった!
シュウウウ
シュウウ
早く脱出!
うっ
体が重い!
ギシ
ギシ
ギシ
うわぁ
固まってきた~~
ビシ
ビシ
ビシ
今 お風呂場から声が聞こえなかった?
え?
ほら
たすけてくれ~~

な
中川！
早く
たすけろ！
体が
動かん
！
ギシ
ギシ
ギシ
どう
したん
ですか
何考えて
こんな物を
作ったんだ
大バカモノ！
ギュッ
部長
ずるい！
こっちは　両手
ふさがって
るんですよ
仲良く
なるまで
このまま庭に
飾っておき
ますか？
こまった
人達ね

★週刊少年ジャンプ1992年17号

両津《りょうつ》ストアーは年中無休《ねんじゅうむきゅう》!?の巻《まき》

スーダラ
ラッタ
スーイと
ラムネでも
飲んで
行くか!
キュッ
ありゃ!!
工事中
店
キッ
駄菓子屋が
なくなってる!!
突然の
建て替えか!?
ここの会社が
買ったんだよ
両さん!
なに!
きさま
地上げ屋
か!
グイ
あいた!
違うよ
両さん!

社
ちゃんとした不動産屋さんだよ その人は
本当か
ゴホ
乱暴な……!
ゴホ
この土地は元々 借地だからね
ここもついにマンションになってしまうわけか!
住む所は息子の所へ行くけど仕事が続けられないのが残念でね
ライフワークだったからな
駄菓子屋みたいな仕事ね うーむ
工事中
あった!
思いあたる仕事を見つけた!
わしに任せろ!
駅の売店に就職ですか
中川鉄道にもあるだろ売店!
駄菓子屋のばあちゃんが働くんだ
売店はゴチャゴチャして駄菓子屋に似てるだろ

小さいスペースで多種の品を売る形は似てますけど
売店はかなりハードワークですよ！
大丈夫 駄菓子屋歴40年のベテランだからな
とりあえず明日行くからな
ええ！いいですけど
よかった！これでわしもひと安心だ！
先輩も世話やきだな
駄菓子屋さんに借金があったものね
NR《ナカガワレールウエイライン》「ニュー新宿駅」はJR 地下鉄 モノレール バスなどが乗り入れするマンモス駅です
一日の乗降客が約100万人と言われています
NR
NAKAGAWA RAILWAY LINE
ニュー新宿駅
NEW SHINJU
SAIKO 8:00 AM
東京都

NR《ナカガワレールウエイライン》の売店は 地下鉄 モノレール などを含め 全部で40店 あります！
ニュー新宿線
南青山 麻布十番 柿の木坂. 玉川 国領 多摩
NR PLAZA
勤務時間が 朝9時より夜10時 そして次の日 朝6時より9時まで 一回の勤務が 2日間に及びます
というのも 朝が通勤ラッシュの ピークに なりますからね
ピークがおさまる 朝の時に次の人と 引き継ぐわけです
あとは販売員の 青木《あおき》さんに 教わって下さい
どうぞ よろしく
中は せまいんだな！
無駄な スペースは ないからね！

あれ？このコインの山はなんだ？
おつり用のコインだ！
一秒を争う仕事だからね
ん！
乗客が来た！下がっていてくれ！
え！
ザッ
ザッ
ザッ
東洋《とうよう》スポーツとゴールデンバット！
関東《かんとう》スポーツ
日刊《にっかん》デイリーとホープ！
朝目《あさめ》スポーツ！
ザッ
タッ
ザッ
品物を持っただけでおつりが先に出るとは…
さすがに早い…

電車《でんしゃ》だ!!
急《いそ》げ!!
ヒュイイイイーン
早く!
週刊現実《げんじつ》!
230円
毎朝《まいあさ》とガム
330円
毎夜《まいよる》新聞
ガヤ ガヤ ガヤ
間もなく発車しまーす
乗るぞォ 乗るぞォ
待ってくれ!!
ルルル
ドドドド
NAKAGAWA
嵐の様に去って行った… すごいな
2分で次の電車が来るからね
2分でホームの人々が完全に入れ替わる
千円でおつり!
ガムひとつ
そういえばレジがおいてないな
スピードアップのためあとでまとめて計算する!

たばこと新聞・雑誌が売り上げの半分近く占めている
計算は組み合わせがポイントだ
スポーツ紙とハイライトで360円! つり銭は40円! とパッと出ないといかん!
なるほど
私など顔を見れば何を買うかわかる
うーむそこまで…
さっきから売れるとすぐ補充してるが何もそこまで
ん!? これか
これは視覚管理だ!
どういう事だ?
ガムやあめそして本などたえず いっぱいに平にしておく!
こうすれば売れたのが抜けるから管理しながら計算しやすい
ちょっと売ってみたまえ
えっ
値段は表にすべて書いてある
週刊
毎朝
東洋スポと甘栗!
ポケットティッシュ

ポケットティッシュはいくらだっけ両さん
うーむ50円くらいだと思うが…
スポーツ紙もらうよ！
テレカをくれ！
甘栗！
甘栗はいくらだっけえーと
3番線発車します！
コーヒー早く！
もう時間がない甘栗はほかで買う！
あっ待って！
結局3人しか売れなかった…
せわしないねぇ！
マムシパワードリンクをくれ！
えっ
つめ切りありますか
マムシパワードリンクなんてあったかな?
栄養ドリンクの数が多くてわからん！
コーヒー牛乳にしない？お客さん
駄目だ！マムシパワードリンク
はい！つめ切り！おつり30円！
さすがばあちゃんは早い！
駄菓子屋できたえた腕だ

300種の品があるからね 迷っていてはいかんぞ!
えっ そんなにあるのか
全部覚えきれないぞ!
品物の場所を覚えておくんだ
例えば この場所は子供エリア! チョコ・お菓子 漫画 おもちゃ類がある
ここは・女性のエリア パンスト 女性誌 化粧品 ハンカチ カサ ティッシュなど…
ここは男のエリア 酒 タバコ スポーツ紙 ひげそり おつまみなど…
このようにイメージで分類しておくとすぐ場所がわかる!
なるほど それで手が自然に動くわけか!
それと なん人も接客する時など いちいちおつりのお金など見ていては時間のムダだ!
そのために・つり用に 4枚ずつ40円 400円とわけておく これが便利だ
品物をみた瞬間 おつりを計算し すでにその金額を右手の中におさめてないといかん
ジャラ
う～む すごい!

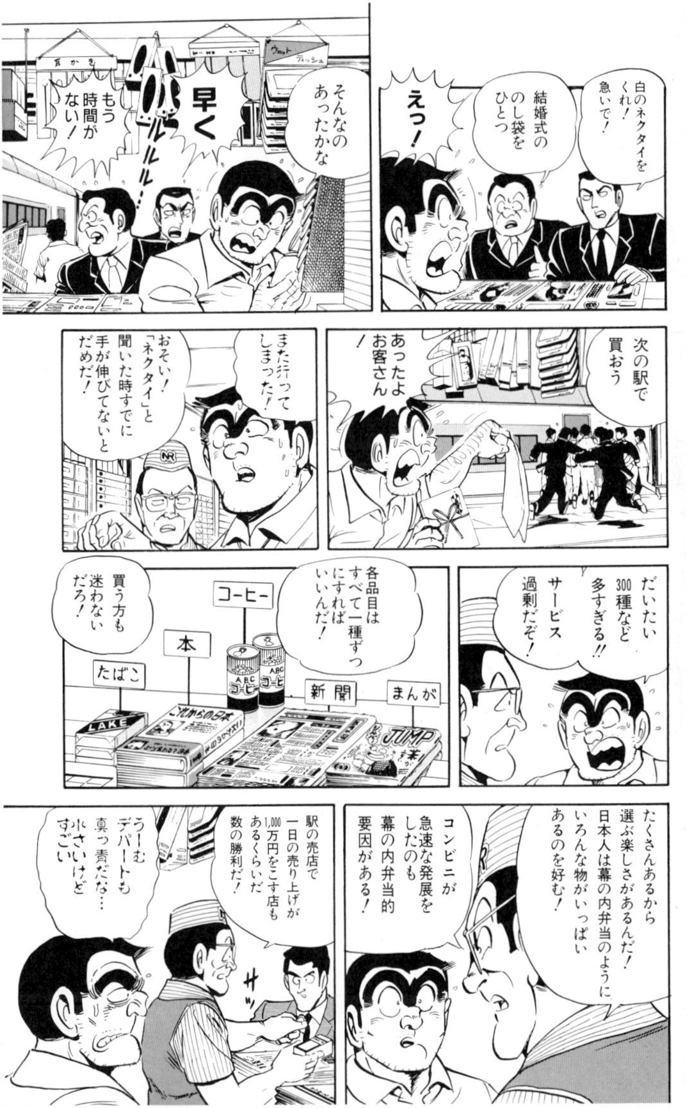

白のネクタイをくれ! 急いで!
結婚式ののし袋をひとつ
えっ!
そんなのあったかな
早く
もう時間がない!
ルルルル…
次の駅で買おう
あったよお客さん!
また行ってしまった!
おそい!「ネクタイ」と聞いた時すでに手が伸びてないとだめだ!
だいたい300種など多すぎる!!
サービス過剰だぞ!
各品目はすべて一種ずつにすればいいんだ!
買う方も迷わないだろ!
コーヒー
本
たばこ
新聞
まんが
ABC コーヒー
LAKE
これからの日本
JUMP
たくさんあるから選ぶ楽しさがあるんだ!
日本人は幕の内弁当のようにいろんな物がいっぱいあるのを好む!
コンビニが急速な発展をしたのも幕の内弁当的要因がある!
駅の売店で一日の売り上げが1,000万円をこす店もあるくらいだ数の勝利だ!
サッ
うーむ デパートも真っ青だな…
小さいけどすごい

研修を終えて しばらくは両さんも売店を手伝っていた
NR PLAZA
いい アイディアが あるんだけどな
なんだい
ばあちゃんのところでおもちゃなど余ってるだろ ここで売っちゃお!
えっ!
いろんなおもちゃがあるだろ ここにも
数が増えてもわかりゃしないよ!
初めのうちは数点だつたが だんだんとその数も増えて……
ミニ駄菓子屋と化していつた
RPLAZA
両さんの個人的な品も販売するようになつた
GIJOE
フェアー
特別価格
ONLY 1万円
現品限り

人が多いだけあって売れちゃうもんだね
ん？
あっ二重帳薄を!!
しーっ
中川には内緒だ！
駅前の一等地よりさらにすごい・・・超一等地だぞここは！
たばこや本を売るだけではもったいなさすぎる！
まったく…
今度は衣服まで売るのかい
商店街と話をつけてきた！
NR PLAZ
Yシャツ
子供服
ポロシャツ
売り上げの30％をもらう！
これからはいろんな商品を扱うぞ！
さっそくセールを始める
新装開店セール
10％引き
いいのかい？そこまでしても…

たこやき
商品はどんどん増え続け ホームの端までいっぱいとなった
乗客も珍しがり 売り上げも伸び続けた
ニュー新宿 NEW SHINJUKU
ファミコン
Tシャツ 2枚 1000円
CDカセット
古本
HONDA タクト 14万円
ビデオテープ(VHS)
なんだって！
あれ以上 広がると ホームにあふれて 危険に…
わかった すぐ現場へいく
大安売り!
3番ホームにて大バーゲン!
両津商店ワゴンセール中
RAILWAY
ニュー新宿駅
まるで バザー 会場だ…
「プラットホーム バザー」などと 週刊誌にも 出るほど有名に…
ニュー新宿
ガヤ ガヤ
スーパーボール
金魚すくい
プリント Tシャツ
水にひたすと20倍の大きさになるよ！

ニュー新宿
NEW SHINJUKU
駅弁いかがっすか!
新宿弁当
先輩やめて下さい!
ちゃんと保健所に申請したぞ
そういう事じゃありません!!
通勤電車に売らないで下さい!
すいませんねピザ店を出させてもらって!
一年契約だそうで…
ミックス
オニオン
ピザ24
そんな約束してません!!
今すぐ中止して下さい!全部!
切手・コイン
ニュー新宿記念
発売中
ちえっケチ!!
焼とうもろこし
中止するかわりにわしに一店出させろ!
えっ売店を
わしがスカウトしたばあちゃんは売り上げ一番だぞ
そのお礼としてだ!
射的
パチンコ
ぼっちゃまここは逆らわない方が…
うむそうだな
わかりました先輩の独立店舗を作りましょう
やった!

うーむ個性的なショップでいい
頑張って売って下さい!
両津ストアー
ようし頑張るぞ!
売り方のノウハウはマスターしたからな
さあ来い!
うーむ
電車も乗客も全然来ない!
しーーん
あ
ここは無人ホームだ!!
こら中川無人ホームに建てやがって
無人じゃありませんよ
正月とお盆の年2回使用されます
そんな所で商売できるか!

先輩ならきっと大丈夫ですよ
あっこら
うぬ〜〜〜
はじめからそういうつもりだったな……
そっちがその気ならいいよ
ガシャ
無理にでも電車をひっぱってやるからな!
ガチャ
社長!あの人が勝手に転轍機《てんてつき》を!
なんだって!
なんて事をするんです勝手に動かさないで下さい!
2本に1本くらいいいだろ
駄目ですよ!
わかりましたとなりのホームに店を移します
やった!
あいているスペースはこんな端しかないのか
まあ仕方ない!
おお電車が来た!

ニュー新宿駅！
ゾロ
ゾロ
あっ手前で止まった！
うぬ〜〜〜誰一人こっちに来ない…
ギリギリ
ホームには余分なスペースがないんですよ わかって下さい
同じホームだからいいだろ君！
ようくわかった！
どんな手を使ってでも客を引っぱって来てやる！
次の日
さぁて店をあけるか
NR PLAZA
のりかえ
EXIT
ん!?
本日休業

誰がこんな貼り紙を!
ん?シャッターが!
本日休業
グッ
あっ
接着剤で固めてある
グッグッ
シャッターが開かない!
ガチャガチャ
こっちもふさがれた
えっシャッターが!
はい何者かに夕べのうちに……
さあいらっしゃい!いらっしゃい!
激安
NR《ナカガワレールウエイライン》ニュー新宿駅で唯一営業している両津ストアーで買ってちょうだい
犯人はたぶん
怒らせるとこわい人ですね…
両津ストアー
安売り
大安売り
ガヤ
ガヤ
ガヤ
営業中

★週刊少年ジャンプ1992年31号

ベビーシッター両津《りょうつ》!?の巻《まき》
荒川区《あらかわく》・南千住《みなみせんじゅ》あたり
やき鳥

うおす!
おはようございます
おや
0~3才児の
知能形成
その人の「一生」は赤ちゃんの時期にすべてが終了する…
なんだこりゃ
部長さんのよ!
以前から頼まれていて買って来たのよ
なんで部長がこんなもん読むんだ
お孫さんの桜《さくら》ちゃんのためじゃないですか
ひろみさん夫妻はかなり勉強してるようですから
赤ん坊なんてミルク飲ませれば勝手に育っていくだろ
まあ…そうですが…
のちの人間形成をなす上で赤ちゃんの時期は大事ですよ
そうかな

母親が見つめたり声をかける頻度《ひんど》は生後一年目の赤ちゃんのIQ《アイキュウ》に比例すると言われてるくらいです
なになに！
赤ちゃんは両親からいろいろ学ぶわけですから…
一番学べる時期に接する時間が多いか少ないかで差が出ますよ
0歳から勉強させるのか？
そうじゃありませんよ！赤ちゃんの心を理解してあげるという事です
例えば顔をふく時でも無理にやれば嫌がるでしょう
そのうちタオル見ただけで嫌がる様になりますよ
上手にあやしながらふけばいいんです
心理的にも安心して 顔をふかれるのが好きになります
なるほど
好き嫌いがそこで決まる場合もあるわけか
そうです
赤ちゃんのマネをする事も大切なんです
親が赤ちゃんの教師ですから

赤ちゃんをまねて笑ったり眉をしかめたりする事によって
他人の行動が自分の動きと関連してる事に気づいて…
初めて他人へのメッセージに使える事に気づくわけです
宇宙人とのコンタクトみたいだな
学習能力を高めるためにも両親が大切なんです
両親の仲が悪くケンカばかりだと赤ちゃんの将来にも大きく影響をあたえますよ
逆に両親が仲良く遊んでくれると「喜び」をいっぱい知る子に育ちます
「喜び」を多く知るほど明るい子になりますからね
子供に友達が少ないのは両親も友達が少ない場合があるな
友達と上手につきあう方法を両親から学んでいないんです

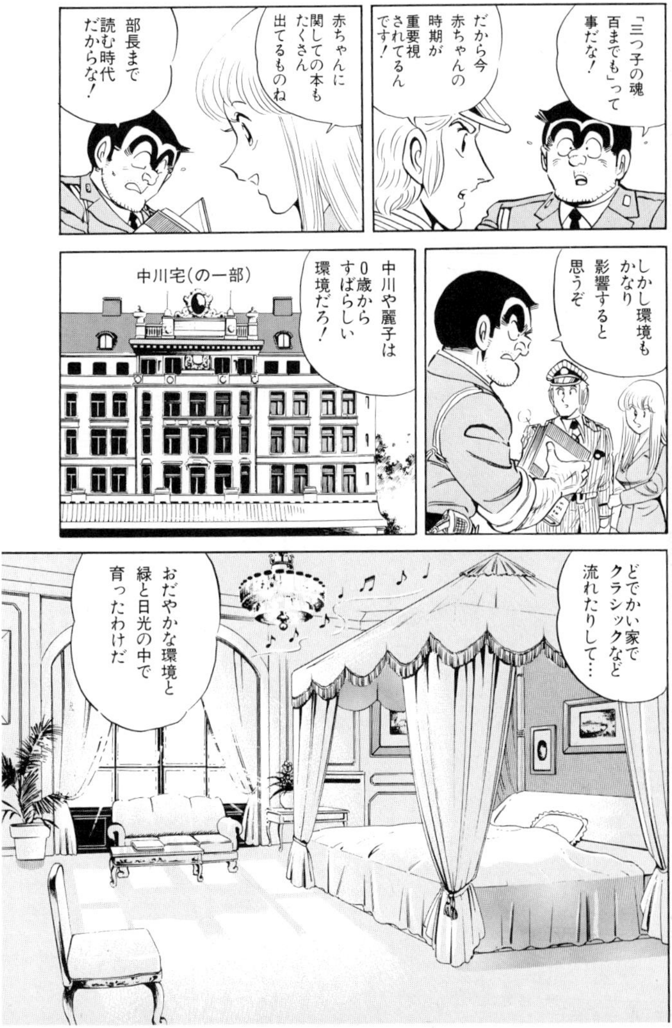
「三つ子の魂百までも」って事だな!
だから今赤ちゃんの時期が重要視されてるんです!
赤ちゃんに関しての本もたくさん出てるものね
部長まで読む時代だからな!
しかし環境もかなり影響すると思うぞ
中川や麗子は0歳からすばらしい環境だろ!
中川宅(の一部)
どでかい家でクラシックなど流れたりして…
おだやかな環境と緑と日光の中で育ったわけだ

それに比べて
わしなど環境と呼ぶにはほど遠い！
家の外はオート三輪がけたたましく走り…
家の中じゃラジオは一日中うるさくてハエは飛ぶ！ゴキブリは出る！
ドタ
ドタ
ガタ
ネズミは天井であばれまわる！犬は騒ぐ！ノラネコは勝手に入ってくる！大騒ぎだぞ！
ドタ
バタ
ニャ〜
母ちゃん金！金！
1,000円かしてくれ
ドタ
ドタ
あっ
ポン

ふぎゃあ
ああ
おう！
悪い！
悪い！
勘吉《かんきち》を
けとばすんじゃ
ないよ！
まったく！
ゴシゴシ
母ちゃん
泣きやまして
くれ！
こら！
ポン
投げる事
ないだろ！
この
バカ！
金
1,000円
かして！
ね！
ふえええ
そんな金
どこに
あんだい
おもりでも
してきな！
ひっく
ひっく
あっ
くそ！
ヘソクリを
出すか！
銀《ぎん》さん
まだかーい
ゴン
今いく…
ガン
あ

びえええ
よしよし
大丈夫かい？
あんた！ミルク！
はい！
勘吉の頭ぶつけるんじゃないよ！
びええ
よし よし
つい うっかり！
銀さん 出走の 時間だぞ
わかった わかった
ひぃぃん
よし 行こう
びええ
あんた！
びぇぇ
わしの記憶力が悪いのは オヤジのせいだと思う！
早く 行け

行け~~~
行け~~~
ワーッ
やったあ
菊次郎《きくじろう》取ったぜ!
がはは
ワーッ
さすが銀さん!
さっそく祝い酒だ
わはは
おいちょっと
赤ん坊どうした!?
あっいけね
びぇええええ
おっいた!いた!
悪い!つい置き忘れた
これだものな…
吉原でもエロ映画館でもわしを背負ってどこでも行ったからな!
まるでカンガルーの親子だよ
エロい性春

酒屋に行くと
仲間が面白がって
わしに酒を
飲ますんだ
ミルクより
酒のほうを多く
飲んだ気もする
それで夜中
帰り道に
寝ちゃうんだぞ!
よく生きてたよ!
すさまじい
親子ですね
………
知的能力の
基礎を伸ばす
大切な時期に
そんな生活
してたわけか
うーむ
今考えると
とんでもない
親だな!
・・・
あいつらは
両親の言葉で
記憶に残ってるのは
おやじの「金くれ!」と
母ちゃんの「このバカ!」
このふたつだものな
どういう
幼児教育されて
きたんだ
わしは!
だ だから
感性豊かな
人になったのよ
きっと
困難に打ち克つ
根性も そこで
創られたんですよ

先輩の強さとたくましさはすばらしい
両親の育て方のおかげですよ
そうかな
はは…
0歳からお酒を飲んでいたとは…
先輩の昔話は聞くのがこわい！
あっ
両津！
なんですかいきなり！
署内で予想屋やるんじゃない！
この紙を500円で売っていたそうだな
あっ
5R
2−6
2−8

それは・・・あげたんです！
みなさんがそのお礼に現金を私にくれて…
それを・売・ったと言うんだ！
あいた！
警らの山田《やまだ》や田中《たなか》などお前のせいでサラ金に手をつけたんだぞ
部長！ちょっと待って！
それはあいつらが意志が弱い人間なのです！
私のせいじゃありません！
人の事を意見の出来る立場か！
お前の様な借金男を署に増殖させるな！
いたた 別にそんなつもりじゃ……
結果的に増えてるだろうが!!
だから私の意志では…
ユサ
にぎやかな環境は 未だに続いている…

今日は！
あっ ひろみ！
こないだ 来た時 お母さん メガネを 忘れて いったから
わざわざ 派出所に
桜ちゃん！
大きく なったね！
もうすぐ 一歳です
こら両津 きたない 手で！
ふええええ
ほら！ 大声 出すから！
お父さん だめよ 桜の前で 怒っては
つい うっかり
まったく ですよ

この時期 刺激を あたえると 夜なきの 原因にも なるのよ
そう だったな
部長さん これ!
そうか これだ!
これを 読めば 安心だ
両津を 近づけるのは 環境に悪いん じゃないか
見近な人 以外の人と コミュニ ケーションを とるのは大切よ
人みしりに なってしまう わよ!
うーむ しかし…
こら 指をなめ させるな!
私は両親の 愛情たっぷりに 育てられて いますからね!
子供が親に 何を求めて いるかわかる んです!
ふえええ
また 大声 たてて まったく
心配 ありま せんよ

親の接する回数と赤ちゃんのIQ《アイキュー》は比例するんですよ
えっ
さっき言った事を…
知らなかった……
そのくらい常識です！
部長も本ぐらい読んで 勉強しなさい！
祖父として！
両さんくわしいわね！
あたり前の事ですよ
ひろみさん美容院でも行って来たらどうです！
えっ
3時間くらいここで私が見てますから！
でも悪いわ！
一日中一緒にいると母親もストレスがたまるものです そこを男がフォローしないと！
ストレスは顔に出て赤ちゃんの機嫌も悪くなる！
美容院へ行き気分をスカッとし赤ちゃんと気分よくつきあわないと！
子供はお互いの協力で創り上げる・・・芸術作品です
まあ！

両さんてすごく優しいのね
いやーははは
本と同じ事言ってる……
じゃあお願いします
まかせなさい!
気になるが…
わしは署にもどるぞ
はいはい!
じゃあ僕達もパトロールに行って来ます
お前らも行く気かよ!
だって仕事だもの!
頑張って下さい
中川達に押しつけようと思ってたのに
本当にわしが見るのかよ!
本当は子供は苦手なんだよな!
2、3時間くらいだったらいいか!

おかげで競馬が遠慮なく見られ…
ん？
ビリ ビリ
あっ
こら！
ダァ ダァ
出走馬がわからなくなった
なんてこった！
キャ キャ
桜ちゃんお馬だよ見て！
ウマ！ウマ！
このスキに電話で馬券を
えーと1R《レース》は……
梁下
うまうま
こら
あっち行って
しっ しっ
ピッ ピ

両津が子育て上手とは知らなかった
亀有公園前派出所
子育てはすべての基本です
子育てがダメな人は部下の育て方も失敗します!
身に覚えがあるでしょう
人を育てるのは赤ちゃんも成人も一緒!
愛情が大切なのです!
「よくやった」とほめる上司の笑顔の数だけ部下のIQ《アイキュウ》の数も増えるわけです
かしこい部下になるのです
上司が怒るたび部下のIQ《アイキュウ》が減っていく!すべて上司の管理能力と愛情の不足!
そ そうか…
私を桜ちゃんと思ってどんどんほめなさい
子育て上手になるために!
よし…わかった
ルルル
はい! あっひろみさん
部長いらっしゃいますよ

どうかしたか?
なに!? 桜が…
馬を見ると興奮するだと…
赤エンピツで新聞にいたずらがきをする…
心配はいらん! 原因がわかった…
すべてわかった!
ゴホ ゴホ ゴホ
ガタッ
カチャ
さアて パトロールでも行くか
なんて事を教えるんだ両津!
ドン ドン ドン
部長怒ったらだめ~~
IQ《アイキュウ》がなくなっちゃいますよ!

★週刊少年ジャンプ1992年14号

AM8:58 給料日
警視庁
警察署
まも守りま
しょう
銀行引き出しの
裏をかいて
署から現金で
もらうとは
気づくまい
今ごろ
借金取りは
銀行の前で
待ってるだろ
うき
うき
ん?
チラ
気づかれ
たか!!
ダッ
うわ
!
ネオ・ボーナス争奪戦!!の巻

ネオ・ボーナス争《そう》奪《だつ》戦《せん》!!の巻
ちくしょう はなせ!
こんなに隠れていやがったか!
ドカッ
なんですか!? 署の前でいきなり!
警らの両津が借金取りに捕まってるところさ
ギュッ
ドカ
ボーナスが近くなるとおきる! 冬の風物詩みたいなものだな…
風物詩ねェ…
ドカ バキ
離せくそ!
くっ 強いぞこいつら!

大学のラグビー部とレスリング部さそう簡単に逃げられないよ
くそ！どうりで慣れてると思った！
きたねえぞ商店街のおやじども
給料はあずかるよ
ス
あっ
今回は頭わりして一軒3万円ずつだ
確かピッタリのはずだ
残りの端数は私がいただく
ずるいぞ人の給料の額まで調べやがって！
ちくしょう！
あっ部長助けて！
こいつらが人の金を取るんですよ！
わしも両津に3000円かしたぞ
遠慮なくどうぞ
やめろー
勝手に渡すな！

僕らも千円ずつかしました
どうぞどうぞ
こらぁやめてくれ──っ
うおおお
とても足りませんな
むろんメインは来月のボーナスですよ
これはほんの一部です！
うおおお
これが明細だ来月またもらいに来るから
くっ
ぎゃあ
ガブ
駄目ですよむやみに近づいては！
ガッ
ガチガチ
また会おう両津くん
うるせえ！
ブロロロ
お金に関しては狂暴になるんですからあの人は
ちくしょうハゲタカみたいなやつらだ
わずか2分で給料がなくなってしまった…
くく…

え⁉
なぜ借金取りに追われるのかですって?
先輩が借金を返さないからですよ
早く返せばいいのに
わしに説教するな!
ビビッ
借りた金を返さないから取りに来るわけか!
コロンブスの卵のごとく実に簡単な理由だ!
返せと言われても 金がないものな
だからまた借金して返す! さらにその借金を返すため借金し 借金を返しさらに…
早口言葉みたいな事してるうちにどんどん借金が成長し 手におえなくなる
借金の森で迷って 出口を探してるアリスみたいなもんだなわしは!
これはいかんな実に!
借金迷路《ラビリンス》からどうやって脱出するか…

そうか
人から金を
かりるから
まずいんだ
…!
自分から
金をかりれば
いい!
ボーナス
10年分の
前がりだと
!
2001年までの
前がりです
お願い
しますよ
そんなもの
ダメに
決まっとる
だろ!
特に君の場合
途中で免職に
なる可能性が
高い!
1年先も
わからんのに
10年後など
とても
とても!
じゃあ 月給
をまとめて
年給にして
下さい
1年分を正月
に一括して
下さいよ!
先に!
だめだと
言っとる
だろ
いい加減に
しろ!
両津!!
1年先どころか
明日のお前も
予測できん
のだぞ!
10年分も
前金であげたら
次の日に辞めて
他に就職して
しまうだろ!
お前は!
くる
しい!

頭が
足りないんだから
そんな事に脳を
使うヒマがあったら
仕事しろ!
わ
わかり
ましたよ
何考えて
生きて
いるんだ
あいつは……
発想が
すご
すぎる
……
ちくしょう!
人の事 さんざん
言いやがって!
部長の
言う事も
当たってるから
反論出来んな!
しからば
………
直接 懐へ
飛び込む
か!
総務人事課
ここで全部
正確に
チェックして
ミスが
なければ
このデータを
記録して
指定銀行に
運ぶのよ
すべての給料を
その記録通りに
支払うわけか
だから
チェックが
重要
なのよ
なぜそんなに
詳しく
聞くの?
ファミコンで
「銀行ゲーム」を
やっていてね
参考に!

夜勤かい?
ちょっと忘れ物しちゃって!
まさか署に泥棒が入るとは思うまい
コンピューターのハートをいただきにきたぜ!
総務・人事課
中は手薄だ!
ちょろいもんよ
さあてと!
指先の魔術師が登場!
だてにパソコンをやっちゃいないぜ
これでボーナスを変えてやる
明日一番で銀行員がデータを取りに来るからな!
その前に前がりをしっかりしておく!
これがわしのボーナスか
M—68
ケイラ ガカリ
リョウツ カンキチ
ボーナスシハライ
¥825,672
この額じゃ借金返して無くなってしまうぞ

ひと桁 上げるか
ピッ
¥8,256,720
もう ふた桁 くらい ポン ポンと
ピッ
¥825,672,000
8億2.567万2,000円 う〜む すごい!
ちょっと待てよ! 一生働いたとしても 8億も稼げるかな?
わしが 警視総監に 昇進したとしても 無理な気がする…
半分に 減らして 4億に するか!
ピッ
うーむ この額でも 少し無理が ある…
¥412,836,000
ひと桁 下げて 4000万円!
まあ このくらいが 妥当な 線だな!
他のやつの ボーナスは どのくらい 出てるのかな
ちょいと のぞいて みよう
ピッ ピッ ピッ
寺井《てらい》は 少ないな! ローンを かかえて 気の毒に
かわいそう だから 一千万円プラス してあげよう
ピッ
あいつ 死ぬほど 喜ぶぞ
ピッ
テライ ヨウイチ
ボーナスシハライ
¥10,685,712
両さんは なんて優しい 人なんだ!
よし! これで 元に もどして!
ピッ ピッ

ピッ ピッ
あっ
Error.《エラー》
そうか勝手に増やしたから支出総額《トータル》が変わったんだ!
他からお金を持って来て穴うめしないとばれてしまう
にくらしい署長のボーナスから金を取ってやろう
あいつこんなにもらってるのか…
くそ
トンダ ゴメス
ボーナスシハライ
¥2,125,629
ふた桁下げてやる
二万一千二百五十六円かこのくらいで上等だよ
トンダ ゴメス
ボーナスシハライ
¥21,256
次 部長!
部長の場合三桁下げてやるぞ!
ぷっ980円になった!
ダイコン4本買っておしまいだ!
オオハラ ダイジロウ
ボーナスシハライ
¥980
次 中川と麗子だ!
あいつらは金持ちだからいっぱい取るぞ!
麗子は女だからいい御縁があるように…
ボーナスは5円と
中川はNo.1が好きだから
1円!
ナカガワ ケイイチ
ボーナスシハライ
¥1
婦警の中でかわい子ちゃん達には100万円ずつ両津さんからプレゼント!
他の署員はひと桁下げる!
両津大統領のデノミ政策だ

そしてプリントアウト
いやあ給料を決めるのは楽しい!
せっかくの機会だ!署長にも外勤の苦労を知ってもらおう
確か人事異動の用紙が…
ガラ
血も涙もない署長は六階級降格!星ひとつの巡査から出直し!
そして公園前派出所勤務にしてわしの下で働かす…
次に部長も……
両さんの人事及びボーナス査定は深夜まで及んだ
一方 商店街でも両さんのボーナス闘争の作戦会議を行っていた
プラモデル・ラジコン
尾崎模型
尾崎模型
KYOSHO
NIKKC
TAMIYA
前回は給料だからうまく奪えたが
ボーナスはそう簡単に奪えない事を頭に入れてほしい
あの手この手で逃げ切りのがしたら最後ボーナスは2、3日で使い切る!
支給日に絶対手に入れる事だ!
足が早いし路地などに逃げ込まれたら見つかりませんよ

そのため ナビゲーションコンピューターをベルトに組み入れた!
肩ひもがアンテナで手錠ケースがバッテリーだ
ナビコンで衛星により現在位置を知る事が出来る
これを知人の警官に両さんのとすり替えてもらう
これなら世界中どこへ逃げても見つけだす事が出来る
さすが! プラモ屋技術が違う!
ベテランはすごい
スーパーMMC
しょみん銀行
両津さん
はい
4000万円現金です
こりゃどうも!
2 お預入れ・お引出し
あの 高金利でお得な商品が…
しっ あっちいけ
誰が預金などするか!
スーパーMMC300
ザ・リッチマン
借金取りに120万円返しても3800万円残る
いやあ心が大きくなるな

借金取りども！あわてるんじゃない！
今耳をそろえて返してやるから！
たかが120万円で目の色変えて…まったく！
ゴクリ
早く返せ！
やはり返すのやめた
あっ
汚いぞ！
返すふりをして！逃げたぞ！
わかっている予測ずみだ！
この15年間の彼のデータを分析した結果自分から返す可能性は0％
逃げてからが本当の勝負だよ！君
彼には右へ右へと逃げる傾向があるんだ
今回もそのパターンで逃走している
もっと画面をアップしてみようか
すごい路地までわかる
ナビゲーションコンピューターの誤差は地上で50センチという正確さだ
公園
亀有8丁目
コンビニエンス
これならすぐ捕まえられるな！
あまいな

ヘタに彼を追い込むと金を食べてしまう事も考えられる
捕虜になるより死を選ぶ男だよ 彼は！
そのためにも私が集めた15年に及ぶ彼のデータ
これがあれば彼の行動がコンピューターで予測できる
長く続いたボーナスサバイバルも今日終焉《しゅうえん》する!!
95%の確率でこちらの勝利だ！
どうしたんだ今日は!!
逃げる所すべて先回りされてるぞくそ！
指令車！両さんが消えました！
見あたりません！
ブロロロロ
おちつけ！彼は川の中だ！
Z《ゼット》ー24の位置だ石を投げてみろ！
川の中らしいよ
ドボッ
ドボッ
本当かな？
くそ！
うわでた！

なんでばれるんだくそ!
よし こうなったら
まずい!
デパートに向かった!
赤礼堂
デパート
バス通り
銀行
N
デパートに入れてはいかん!
金を遣いまくりながら逃げる気だ!
キキッ
あっくそ
街中を走らすと不利だ!
公園に追い込め!
ギャギャ
上は見つかりやすい!
地下から逃げよう!
ガタン

なに
マンホールに
逃げ込んだ
心配ない
あのナビコンは
地下でも
位置がわかる
やはり
下水道を
使うか!
カチャ
あっ
下水道の
配管図が
!
過去にも
下水道を
使った例が
ある
他に地下鉄や
海や空を
立体的に
探し出す
装置も
用意して
いる
完璧
だな!
しつこ
すぎるぞ
まったく
4000
万円て
けっこう
重いな!
一方 署では
なんだ
!?
わしの
ボーナスが
980円だと
ぼくは
1円だ
……
少なすぎる
ぞ!
ガヤ
ガヤ
えっ 私が
巡査に
降格!?
誰かが
忍びこんだ
らしいよ
署に入るとは
大胆なやつだ
ガヤ
ガヤ
総務に
しのびこんだ
形跡がみられ
ますね
指紋が
あちこち
に……
一体
誰が?
オー

ゴリラみたいにごつく太い指で指紋が変わっていて…
ちょっと見せていただけますか?
丸くなく四角いんです
まさか先輩のでは…
あいつも変な指の形してたからな…
リョーツという方に4,000万円振り込まれています
間違いない!
追いつめたぞ!
観念しろ!
両津くんあきらめたまえ!
きみの負けだ!
あっプラモ屋のオヤジ!
きさまどんな手使ったんだ!?

ビュッ
あっ
くそ!
シュル
卑怯だぞ!
グッ
卑怯は敗者のたわ言と言ったのは君の方だよ
ちくしょう
ググ
ズルッ
うわ
うおっ
金が!
バシャ
バシャ
ズズズズ
ボーナスが機械の中に!?
なんてこった!

なんの機械だ？
ゴゴゴゴ
中に 物が落ちた止めろ!?
もう遅いよ
すでにダンボールに加工されてるよ
ウイイーン
どけっ!
ドーン
とにかく機械を止めるんだ
ウイイーン
ぬお!!
一万円札が粉々にチップされてしまった……
くそー
また失敗してしまった……
なるほど よく見ると福沢諭吉の顔があちこちにちらばってる…化石みたいだ
昨日から何も食べてないのよ よほどショックだったのね
4000万円のダンボールにくるまって幸せそうじゃないか! 両津くん!
署の損害は一億円近くあるからな 働いて 必ず返せよ!

★週刊少年ジャンプ1992年１・２合併号

新《しん》築《ちく》祝《いわ》いは鎧《よろい》で御《ご》免《めん》!?の巻《まき》

なに！部長が 家建てた!?
今まで住んでいた建て売り住宅を売って その資金で家を建てたんですよ
そこで新年会をやると言ってました
交通安全
娘さんも嫁いで部長と奥さんだけですから好みの和風住宅を作ると楽しみにしてたじゃないですか！
そ そうだったっけか!?
この御時世で家がよく売れたな！
バブルがはじける寸前に売れたんです 15年前に買った値の3倍で売れたとか
さすが部長だ！・・・マイホーム転がしのプロだな・・・
すると来年の新年会は豪華なごちそう…
新築祝いを持っていけばよりリッチな食事が…
©

大そうじ一ぬけた！
あっこら！
ダッ
力仕事がいっぱい残っているのに！
結局逃げてしまった！
もう！
骨董堂
刀は売れてしまったよ
ちえっ！部長欲しがっていたのに！
日本刀 アサムネ
おっ いいな この鎧《よろい》！床の間にぴったり！
立派なわりには安い！買い得じゃよ
時代劇が三度のメシより好きだからな！何かいい物が…
ん！

いくらだ
20万円！破格じゃろ！
2万円に負けてくれよ
そんな！とんでもない！
先週の競馬！わしのアドバイスで取れたな！
そ それはそうじゃが…
ポン
もうけを通算すると20万円は超えてるよな！
し しかし……プライベートと商売とは…別じゃよ！
お前とはもうこれっきりだな！
バイバイ
わかったよまける！2万円でいい！
さすがいい人だ！
競馬情報が入らないと また負け続けるからな……
30
注意

え？なんで私だけ新築祝いの新年会に呼んでくれないんです！
お前が来ると新築の家が汚れる！
10年間たってからこい！
10年すぎたら新築祝いじゃないですよ！すでに！
それでいい！改築祝いに顔を出せ!!
正月は新年会にとスケジュールをあけてあるんですよ
勝手に予定するな！
とにかく10年間は来るな！
2001年がすぎたら解禁してやる！
部長！
本当にあいつが来ると汚れるんだ！
消毒しないとダメだ！身も心も！
1992年《ねん》 元旦《がんたん》

なんて所に家を建てるんだまったく!
駅から遠すぎるにもほどがある!
電気通ってないんじゃねぇのか!
たずねる人の身になって家を建てろ!
住所もくわしく教えてくれないから 場所がよくわからん!
たしかこのあたりだと思うが…
あっ
イン・アウトが違うタイヤのブロックパターン!
そして2メートルはある車幅!
F40《エフフォーティー》に間違いない!
地元の人間が畑を売って F40を買うとは思えんからな
間違いなく中川のF40だやった!
この先をたどっていけば部長の家に着く!
赤土の道でよかった!タイヤ跡くっきりだ

純和風の家ですね……
やはり日本間は落ち着く
茶室をもうけたり趣味でいろいろ工夫してある
部長らしい家ですよ
山の裏には城跡があってな 江戸時代の歴史が あちこちに見られる
そういうのもありこの地を選んだわけだ
なるほど
部長は時代小説が好きですものね!
まさにうってつけだ!
庭も完成するのにあと半年はかかる
ひまをみてのんびり植木を集めてるからな

先輩もよんであげればよかったのに
あいつはほっておいても必ず来る！
ピンポーン
見ろ
強く言っても全くこたえない男だ！
あけましておめでとう！どうぞ上がって下さい
すごい所ですねここは
よく建築許可おりましたね
人間ぎらいでわざと人家をさけて建てたのかと思いましたよ
地図にものってないしここは
ガラ
どうも部長あけましておめでとうございます！
この茶碗は京都で買ったやつだ
いやあいい床柱！さすが部長！
この色がなかなかでなくてな！
ん？何かあったか？
先輩か…
あの…わたし！

誰もおらんぞ！
キョロ
キョロ
この部屋には中川と麗子くんしかおらん
あの…ここにいるんですが
次は この輪島塗の……
そうだ！食事はまだだったな
ゴッ
おせち料理がむこうの部屋に
やったぁおせち！
パチ
パチ
やめたあとにしよう！
なんで私を無視するんですか！
部長先輩が来てます
なに!?両津がいるだと？
ガッ
ここにいますよここに
じーっ
やはり誰もおらんぞ

そうだ 庭に バーベキューの 用意が
ガラ
やった バーベちゃん!
あっ
部長! あけて 下さい
ドン
ドン
ドン
シャーーッ
あまりに かわいそう よ
いいんだ あのくらい した方が
先輩が 背負ってたのは 新築祝いじゃ ないかな
なに?
全員で まとめてと 言ったのに とても高価な 品を買ったから 一人で贈る と……
本当か……
重そうな 荷物だった わね
長年のつきあいで 部長の好みは 自分が一番 知ってると 言ってました
シャッ
どこかに 行って しまったぞ

おこって帰ったのかな?
いや また戻ってくるだろう!
母さん 特上寿司 3人前 注文してくれ
はい
正月早々すまない事をしてしまった!
両津に栄養をつけさせてやろう!
酒店
30分歩いてようやく酒屋がみつかったよ!
さっきは出方がまずかったな
今度はいきなりプレゼントを見せよう!
庭から この姿で「部長! この鎧と日本酒を受けとって下さい!」
すごいな!
寿
これで決まりだろ!
だめだよ そんな所でさぼってちゃー
えっ!?
もう全員集まってるぞ!
なんの事だ?

あっ
なんだこりゃ!!
劇場映画の撮影だよエキストラだろ! 君は!
こんな所でロケかよ
大型時代劇 華の平次 撮影開始!!
馬に乗って準備してくれあと3分で本番だ!
おい! 冗談だろ!
待てよ 馬に乗って現れたら部長 びっくりするだろうな!
部長おめでとう!
寿
よし! この馬かりてしまおう
これだけの人数がいるんだ一人ぐらい いなくなってもわからんだろ
あと30秒で戦《いくさ》のシーンの空中撮影をはじめます
位置について下さい!

スタート
カシャ
#121
空撮
うおっ!
速いぞ
この馬!
ドガガ
まるで武豊《たけゆたか》に
なった気分だ
ドドドド
競馬も
鎧を着て
走ったら
迫力ある!
一着
足利《あしかが》!
二着
豊臣《とよとみ》!
なんてな!
ドドド
ドカカ
よし
このあたりで
離脱するか
ドドドド
ちょいと
この馬
かりるぞ!
ドドドド
ドド
ドカカッ
ちゃんと
返すからな!
あ!?
ドドドドド
!?
コースが!
部長!
喜ぶだろう
な!
馬まで
いるとは
実にリアル!
ドカカ
ばかに
うしろが
騒がしいな!
ドドド

な、なに
ドドドド
ドカカッ
監督！コースを変えたんですか？
え？変えてない!!
ドドドドドド
なんで お前ら ついて来るんだ!?
ばかもの！ついて来るんじゃない
早く戻れ！
ぬおっ
目の前に部長の家が！
ドドドドド
なんか揺れますね
外で工事でもやっているのか？
ドドド
まったく両津はいつ戻るやら…
んっ？
ドドドドド

うあっ
ドドドド
馬の大群が!!

部長あぶない
早くどいて!!
ドドドド
あっ両津!!
何のマネだこれは!?
あぶない!早く家の中に
両津め〜〜!!

大変だ
民間の家につっこんだぞ！
撮影中止だあ！
止まれ!!

ドドドドドド
ドドドド
ガガガガ
止まれ!
ストップ
止まれ
ガッ
ガッ
ガッ
ガッ
ガッ

こら止まれ
ヒヒーン
どうどう
あいた
ドスン
部長大丈夫ですか！
しっかりして下さい！
ダッ
お気を確かに！
ケガはありませんか!?
なんのマネだこれは…
この鎧のプレゼントでおどかそうと思ったんですよ部長を
なにィ
でも……ちょっとおどろかせすぎました……かね
おどろいた…!?
こんな金をかけたおどかしかたするな！
映画の撮影なんです
あいた!!

ほら！
時代劇映画に
部長の家が
登場しますよ
自慢できます！
そんなもの
したくは
ない！
映画会社の方で
元通りにします
申しわけ
ありません
ペコッ
ぎゃあ
ああ
やめて
くれ
やめて〜〜
本当に
死んじゃう！
ズザザザ
人形にする
予定でしたが
いいんですか？
あの人使って
ゴキブリより
生命力が
ある男です
危険なシーンが
大好きなやつ
ですので 自由に
使って下さい！
ドガガガガッ

★週刊少年ジャンプ1992年５号

兄《あに》として…！の巻《まき》

えっ 結婚の事 兄さんに 言ってない!?
両津金次郎弁護士事務所
ぼくが 言うと 思ったって!?
今月のスケジュール
仕事が忙しく とても 無理だよ
式場との 打ち合わせも あるし…
リリリリリーン
兄さんの所に 連絡するのは 大変なんだよ! いつもいないし!
交番に 直接 行くしか 方法が…
先生! 最高裁 事務総局から お電話が!
そうか!
先生! 民事裁判の事で お客様が…
わかった
待たせて おいてくれ
そんなわけで 父《とう》さん!
兄さんの事は 任せたよ!

あっ
おい!
つくだ煮
よろず屋
ちょっと
待て!!
切れちまい
やがった!
まったく
まだ勘吉に
知らせて
なかったの
かい!?
子魚の
甘露煮
いかご佃煮
そう
簡単なもの
じゃないん
だぞ!
こないだの
結納の時
聞いたろ!
なまじ
あいつの
職業なんて
言うから…
金次郎さんの
お兄様が
警察官なん
ですか!
お・兄・様なんて
上等な者・じゃ
ありませんが…
まあ…

弟さんが弁護士でお兄様が警察官とは立派な兄弟ですね
下の方は立派なんですがね…
お兄様が 職業から生真面目すぎて心配なんでしょう
金次郎さんから想像して堅いお兄様でしょうね!
すっかりいいお兄様にされちまった
どの面《つら》さげて勘吉を紹介すりゃいいんだよ!
むこう様が勝手に思った事だからしょうがないよ!
寿司
第一あいつは祭好きだからな!
祝い酒に酔って裸おどりなどやられたら大変だぞ!
知らせないわけにはいかないだろ兄弟なんだから
あとで知った方がもっと おこると思うけどね!
とにかくあんたに任すよ
なんでこういう役目はいつも わしなんだよ
くそ!

金次郎が結婚だと！
もっと早く知らせろよ 相手は!?
そうか よし！あとは わしが仕切ってやる！
弟さんが結婚ですか！
この顔に ピンときたら 110ばん
来月だよ まったく急な話だ！
おめでとう よかったわね
パチ パチ
兄としてビシっと仕切らんとな！
お相手の方は？
霧《きり》ケ《が》谷《や》景子《けいこ》と言ってたな！
えっ！
もしかして霧ケ谷建設の次女!?
かも知れん！建設会社の社長の娘と言ってた！
霧ケ谷の社長さんとうちは親戚ですよ！
な…なに!!

という事は先輩と僕が親戚になってしまう…
やだァ!
やだァとはなんだ!!! きさま!
ごめんなさい! つい!
何を騒いでいるんだ!
あの! 実は…
なに! 両津と親戚に!?
そうなんです!
中川家八男
中川一《はじめ》
椿(妻)
静(次女)
椿三十五郎(父)
姪
椿美々
鈴木誠(夫)
甥
鈴木明
伯父
霧ヶ谷英次郎
一郎
二郎
広子
景子
両津金次郎
勘吉
けっこう遠い親戚なんですが…
なんかよくわからん…
とにかく家系図には入りますよしっかりと!
おっとこんな事してる場合じゃない! 式の段取りをせんとな!
兄として!
中川も式に出た方がいいぞ! 万が一のために!
他人事じゃすまなくなったからな!
そ… そうか…
大変ねこれから…

つくだに よろずや
つくだに よろずや
これが嫁さん側の出席者か!
国会議員
霧ヶ谷元三郎
国立大学教授
霧ヶ谷重蔵
私立大学教授
霧ヶ谷政雄
国会議員
霧ヶ谷辰男
医大教授
都議会
霧ヶ谷 勇
有名医院院長
霧ヶ谷 明
大会社社長
すごい面子《めんつ》がそろってるな! 政治家や教授がゴロゴロいるぞ
医者とか金持ちばかりだ…
へえ
それに比べうちの親戚はどうだ!
パラ
宮大工、石屋 植木屋、鳶職《とびしょく》 畳屋、経師屋《きょうじや》 左官屋 浮世絵摺り師 刀鍛治…
職人のオンパレードだな
並べると親戚だけで家一軒たつぞ!
ある意味ではすごい親戚かも知れん…
そうとも…
来賓の挨拶むこうは国会議員の先生だぞ!
新郎側としてそれに対抗できるやつは……

極道《ごくどう》のおじきがいたろ! 元組長の!
あいつなら迫力で勝てる
そうか!
やめてよ! 兄さん!
町会長さんあいさつ上手だよ
よし! 両津家の代表は町会長に決めた!
なんだ? このキャンドルサービスって?
新郎新婦が各テーブルに火をつけるんだよ!
20分間
お色直し
キャンドルサービス
余興
こんなものカットだ!
そんな事してるから式が長くなるんだよ! いらん!
いっそタイマツに火をつけてウエディングケーキ燃やした方が盛り上がるよな
おもしろい!
わはは
やめてくれ!
つづけて挨拶が5人もいるぞ!
著名な列席者が多いからね
《挨拶》13:30
国会議員
霧ケ谷元三郎
《挨拶》13:45
大学教授
14:00
一人で充分! あと4人はカット!
どうせ同じような挨拶の連発だからな!
せっかく浅草の式場なんだから演芸場の知り合いの漫才師に来てもらおうか!
わはは
いいな! 人間ポンプで口から火をふくとか…
ちょっと!
トン トン

あっ
ルルルルル
調停の
時間だって
わかった
もう少しで
終わると
思うから…
あっ
パッ
いいかげん
にしろ
こんな物
事務所との
連絡が…
今は！
式の段取りの方が
大事だろ
少しは
仕事を
忘れろ！！
こいつなど
一年中
忘れて
いるぞ！
そうだとも
わしなど…
うるさいな！
だまってろ
オヤジ！
おっと
ビュッ
わしには
責任がある！
兄として
恥ずかしくない式に
するためにな

兄が お前というのが一番恥ずかしい！
やかましい！
飲んだくれのオヤジの方が恥ずかしいぞ
大きなお世話だ!!
お前の顔の方が恥ずかしいぞ！
お互いさまだ！
ドタ
バタ
ドタ
なんか式が心配になってきた
両津家 霧ケ谷家
おたくがお堅いお兄様ですか今日はよろしく
受付
鋼鉄男と呼ばれてますからね
両津家 霧ケ谷家
ははは
こちらこそよろしく！

えーと
W.C.
伯父さんトイレはここだ！
式終わったら写真撮るからな
全員ビシっと集めておけよ
はい
金をしっかり見とけ！
祝儀ドロに注意しろ！
コッコッ
兄さんみんな集まったかい？
両津家はこっちだ！あと10分で式が始まる
すっかり仕切ってやがる！
おうバッチリよ！

ちょっとお色直しの時にたのみがある
よろしくな
い…いいけど
お嫁さんきれいだね最高!
べぴん!
まさに・・・・掃き溜めに鶴!
そんな!
へぇ圭一の上司の弟さんが新郎かい
はは
そりゃあうれしいね!
イザとなったら眠り薬を使用しろ! それが一番だ!
うれしさより不安の方が多いな…今日は!
かようにおもうわけでありまして
時代は今大きく変わろうとしているところであります
政治につきましても…
そこまで!

長すぎるので このへんで 終了です
はい！ ごくろうさん！
パ
あっ
議員の 大物と 呼ばれる 黒山《くろやま》先生を……
ザワ ザワ
ガヤガヤ
誰 なんだろう あの人は？
あと少しで お色直し ですが…
もう少し 時間を いただき ます
司会が いるのに 全部 自分で 仕切っている…
司会の方 次の挨拶は？
兄の 両津勘吉 様です
オホン！
それでは 兄として 一言！
弟 金次郎は 「真面目」の原子で 作られた男です
しかし 兄からみれば まだ まだ 愚かな弟で…
お前自身が 一番 愚か だろうが！

ごらん下さい これが 父親です
実に 人のよさそうな 顔してます
人がよすぎて 保証人になり その結果…
わはは
仲見世の 支店を つぶして しまいました
わははは
ハハハハ
ハハハ
私どもの 親戚は チャキチャキの 生きのいい ・・・ 貧乏人ばかり ですが…
わははは
まだ誰も 銀行強盗を やっていないのが 自慢のひとつ です
あははは
わははは
ハハ
ハハハ
また 親戚には 107歳をトップに じじい ばばあが いっぱいおります
ボーーっとして 何も考えないから つい長生きして しまうんですね
わははは
ハハハ
あはは
ハハハ
次は 国立大の 教授！ どうぞ
うむ！
ネクタイ ゆるめて下さい！ 楽に！
いいの か!?
どうせ 身内なん ですから！
みなさんも ネクタイ 取りましょう
首しめて 食べてちゃ 料理が うまく喉を 通りません！

なるほど楽だ……
だんだん先輩のペースになって来た
ガヤガヤ
ガヤガヤ
拍手──っ
パチパチ
すばらしいクラシックの演奏でした
しかし…無教養な両津家にはまさに馬の耳に念仏です!
わははは
わははは
わははは
ハハ
おい中川!
えっ
ドキッ
青年実業家のこいつは私の部下なのです!
ここへ来てちょっと挨拶しなさい!
オー!
パチパチ
え───っ私と先輩は……
時間調整だ3分間つなぎなさい
はい!
えーと

もういいい！
支度が出来た
わはは
あはは
ゲラゲラ
おまたせしました！
お色直しを終えて 新郎新婦が入場！
神輿《みこし》に乗ってもどって来ました
かつぎ手はわが町内の荒くれ者達です！
すごいですね
教授！これは！
テレビなどとは迫力が違うすごい！
さあ飲んで下さい
酒はたっぷりとあります！

弟も今日で
夫婦となり
こんなめでたい
日はありません!
わはは
ホテル中の
酒を全員で
飲みつくし
ましょう!
神輿に乗って
大丈夫だった?
ええ!
楽しい
お兄様ね!
今日から
本当に君の
兄さんに
なるんだよ
あっ!
た…
たのもしい
お義兄様で
うれしいわ
がはは
うおおお
わははは
は…
はは…
そうかい…
気に入った!
おたくの植木
全部 俺が手を
入れてやる!
ははは
いやあ
それは
たすかる
わはは
わはは
そろそろ
お時間
ですが…
わかった
わかった
さぁ帰るぞ
おやじ!
グオオ
うちの親戚も
全滅だよ
教授!!
起きて下さい
おやじさん
今日はもう
とことん
飲もう!
今日は
飲みすぎて
しまうな!
ドドド

お義父さん すみません
兄が悪のりしすぎて こんな式になってしまって…
金次郎くん!
ひく
は… はい
私も 数多くの結婚式に出たが……
こんなに楽しくあたたかい結婚式は初めてだ
いい兄さんだ!
ははは
娘をよろしくたのむ
ズキ
いてて…
は… はい
兄さんは!?
もう帰りましたよ!
つくだ煮
よろず屋

いやあ いい結婚式だった！
最高に盛り上がったな！
勘吉！今夜 泊っていくかい
動くと酒が出る！そうするよ
迎え酒しよう！酒くれ！
馬鹿言って！
式場でひとつキープしといた
ゴロ
ゴロ
今夜はこれを飲もう！
さすがオヤジ！えらい！
金次郎も幸せな顔をしていた！よかったな勘吉！
まったくだ！式場で出た鯛を食べよう 酔って 忘れていった分 全部持って来た！
あんたらは本当にたくましいね！

★週刊少年ジャンプ1992年11号

発見《はっけん》！最強《さいきょう》のバーコードの巻《まき》
なんだこれは？
両津のやつベルマークでも集めてるのか？
バーコード集めですよ
このゲーム機で遊ぶんです
CARD BATTLE MACHINE
CONVENI WARS
BARCODE BATTLER
切り取ったバーコードをカードに貼りつけて
カードを入れると
CARD BATTLE MACHINE
CONVENI WARS
BARCODE BATTLER

カードの強さがデータに現れるんです
あっ
ピッピッ
BATTLE MACHI
10200
9900
3300
この数値でお互いに戦うゲームなんです
すごい機械だな
そういえば週刊誌で話題になっていたな! これか!
専用カードがあるんですけど商品についているバーコードを貼っても戦えるわけです
小学生が強いバーコードを求めてコンビニに集まると書いてあった
コンビニはバーコードの宝庫ですよ
先輩は強いらしいですよ! 小学生の間じゃ「バーコードの両さん」といった名が!
強いバーコードを100円でコピーさせる商売してます
そんなところで評判になるな!
よくこういうものをさがすな! あいつは
A・V《アダルトビデオ》からおもちゃまで情報通ですからね
やっほっ

なんです それ
いろんなメーカーからバーコードゲームが出て来た!
これが最新!!
バーコードファイターだ
BARCODE FIGHTER
バーコードファイター
BARCODE GUN
BARCODE FIGHTER
また買ってきたんですか
これはガンタイプだ
バーコードを切って貼りつける必要がない
お店のレジのように直接読み取れるわけだ!
見ろ
BARCODE GUN
ジャキッ
本当にGUN《ガン》みたいですね
2丁セットでなん人とでも対決できる

さっそく やってみよう 中川 1丁持て
ガチャ
バーコードに 当てれば 勝手に読む
はい!
何に しようかな
初めは カン コーヒーだ!
ピッ
ティッシュに ついてるわ
じゃあ これにしよう
ピッ
ようし! 勝負!
引き金《トリッガー》が・・送信だ! お互い電波を飛ばすぞ
引き金《トリッガー》ですね
グッ
ピッ
ビビビー
うわ
わはは わしの 勝ち!
どうして!

みろ! 攻撃 防御 生命 すべて わしのが強い
攻撃力8800
生命力 500
BARCODE GUN
攻撃力2000
生命力 900
BARCODE GUN
あっ 本当だ!
どの バーコードが 強いか知って るんでしょう
ばかいえ! 全部調べる 事など 不可能だ!
毎週変わる 週刊誌などは バーコードも 変化する!
インチキ など やらんよ!
中川の ノートだって 強いかも 知れんぞ
ほら 強い!
本当だ!
撃力 13000
命力 12000
それじゃ お昼を注文 しましょう
もう そんな 時間か!
いい事がある お昼ごはんを みんなで 賭けよう
えっ
わしと 戦って 負けた方が 払う!
うーむ

インチキされるわよきっと！
そうかも知れないけど…
さっさと決めろ！わしはこの本だ
はい！はい！
ようし！行け！
ピッ
パワーマシン
うっ
攻撃力　1◆ダメージ
生命力　0◆知的パワー
生命力0《ゼロ》すべてに負ける…
やっぱりやめにしましょう賭け事はよくない！
え!?
攻撃力が1しかないわ
あっこら！
それならどれでも勝てるね
きたねえぞくそ！
うぬ
わあっ
お昼ごちそうになります！

次は私ね！
ようし今度こそ！
よし
攻撃力 25000
生命力 47000
ニッ
これなら勝てる！
さあいらっしゃい
ふっふっふ
つつ
何がいいかしら……
今日買ったカルティエのバーコードでいいわ
ピ
早くしろ！
ようし勝負だ
ピ
チャッ
ビーー
うお負けた
麗子のデータみせろ
バッ
げっ!!
撃力 52000
命力 95000
5万2000だと…
信じられん…
やったお昼たすかったわ！
BARCODE GUN

カルティエは強い！
バーコードバトラーではカップメンが強かったな…
確かサッポロ100番みそ味が…
あったサッポロ100番みそ味！
これさえあれば！
次はカップメンで勝負！
ぐっくっくっ
いいか！おどろくなよ！
やった！
攻撃力 39000
生命力 25000
3万9000だ！おそれいったか
カップメンにひかえい！
わははは
何かないかな
フェラーリの品質カードにバーコードが…
それを使おう！
ゲッ！
7万だと!!
攻撃力 70000
生命力 68000
お前らきたないぞオ！
高級品ばかり読み取りやがって！
もっと身近な物でやれ！

身近な物が偶然 高級品なんです
くく…いやみな言葉……
お昼は特上の寿司を食べよう
そうしましょう
きさまら…
じゃ明日の昼食賭けよう
えっ明日の!
いいですけど!
よし!
じゃあ今度はローレックスで…
こら!また!そんな物
私のブルガリのバーコードは
いや!エルメスのシャツにもついてるから
勝手にしろ!
高級品が強いなんてずるすぎるぞ!
意外な物が強いかも知れん
50円の消しゴムなどあるいは…
攻撃力0《ゼロ》
生命力0《ゼロ》
知的パワー0《ゼロ》
とんでもないバーコードだなんの役にもたたん

先輩早く！
6万5,000よ！うふっ！
ちょっと待ってろ！
一か月間ただで昼食食べられるとはうれしいな
毎日特上寿司をとろう！
おもしろいゲームね これ
フランス料理の出前もできますよ
きさまらやっぱりきたないぞ
高級品ばかりで！
品物と数値は無関係だと言ったのは両ちゃんよ
確かに言ったが…
調べればいろいろあると思うわ
両ちゃんのボールペン5万5,000よ
なに！

特別プレゼント 世界最強のバーコード

(注)世界最強バーコードはウソです。あれは少年ジャンプ('91年52号)に初めて載ったバーコードです。

という事は
ダッ
過激な本がいいかも知れん
これなど攻撃力が強そうだ
週刊チェスト
週刊格闘技
プロレスラー
暴走フレンド
パズル
ピ
はかってみよう！
うおっ危ない
バチ
攻撃力がありすぎる
あのバーコードはとても読みとれない
うーむ
攻撃力
生命力
すべてが0とは……
無反応だ
60才からの情報雑誌
安楽
中川のメルセデスベンツ600の攻撃力87,000にかなうのはないな！
あの戦いですべて負けてしまったからな
君
うわ！
ポン
ドキ

なんだ!? お前?
バーコードをお探しかな?
いいバーコードがあるよ!
ふふふ
インチキくさいやつだな
BARCODE MAN
よろしい証明しよう
攻撃力 13,500
生命力 23,500
おおっ
マシンを通さずデータを読んだ!
バーコードだけ取って見せてみなさい
何をするんだ?
ボムカレー
みそ味
460円
すごいバーコードを読み取った!

どうだね本物だろ
バーコードパターンがすべて頭の中に入っておる！
ふふふ
CODE MAN
ちなみにボムカレーイチゴ味のバーコードはこうだ！
おお髪の毛で！
少しだけアドバイスをしよう
えっ
初めの数字4・9は日本を表しておるだからほとんどが4・9始まりだ
だから攻撃レベルがひくい！外国製品がねらい目だ！
あっ
4 902102 010511
教えてくれどの外国製品が強いんだ！
一冊千円のこの本にくわしく出ておる
バーコード通信
¥1000
これはいい情報だ！
まあ頑張ってくれ
わははは
バーコード通信
君達もバーコードを探しに来たのかね
ポン
いい歳してあんな事を真剣に…
わしも人の事は言えんが…
POP HOUSE
ブティック
輸入ランジェリー
外国の女性下着のバーコードが最強だって本当かな
ドッキリカメラみたいにだまされたりして…
ランジェリー

とにかく試してみよう！
うっ…後頭部に視線がささる！
100％純正の中年変態だからな！
この際ひらき直って探すぞ
恥などあるもんか！
うおおおお
あった！
mis Van
PARIS
このメーカーだ
間違いない！
お客様
わかってるよ！
ちゃんとした客だぞ！わしは
このパンツを買いに…
78.000
ちょっと用事思い出してねまた来るね
いえもうこなくてけっこうです！
POP HOUSE

いくら外国品でも高すぎる！くそ！
しかしおしいなうーむ
あっそうか！
裏のゴミ箱に商札が捨ててあるかも知れん！
くそ！生地の余りばかりだ！
ザッ
仕立の糊がベトベトして気持ち悪い！
裏のゴミをあさっている？
わかったすぐ110番に…
あった！
78.000
値段が一緒だこれに違いない！
それ！
BARCODE GUN
うおおお
攻撃力 99999
ダメージ
生命力 99999
99、999パーフェクトだ!!
まさしく最強のバーコード！

プァン
プァン
あ
店長め 110番しやがったな
しかし目的は果たしたぞ!
えっ 一年分の食事を賭ける!
有公園前派出所
警察官募集
そう! 一食 五万円まで何を食べてもいいという条件でな!
どうせならそのくらい賭けないとスリルがない
ふふふ
一年間で千八百二十五万円だ
すごい自信ね
じゃあこちらはロールスロイスファントムV《ファイブ》のバーコードで
うむ そうだな!
かかったな! これ以上の数値は出ない 勝ったな!
毎日豪華な食事の日々だぞ!
むふふふ
勝負
BAR CODE GUN

こちら葛飾区亀有公園前派出所①(完)

★週刊少年ジャンプ1992年28号

解説エッセイ「まさしく現代の語り部」

吉村作治

今からかれこれ20年ほども前のことであった。週刊少年ジャンプという漫画雑誌をふと手にして魅入られた漫画があった。それが、「こち亀」こと「こちら葛飾区亀有公園前派出所」だった。友人が実際に亀有に住んでいたのと、柴又の寅さんが好きで、柴又も葛飾であるから気持ち的になじみが深いということもあって、抵抗なくすっと読みに入った。

私は子供のころから漫画ファンで、漫画を読むな文字を読め、という学校の先生に反発して、貸本屋から漫画を借りてきて夜更けまで読んでいた。

私の両親は友禅職人だったので、私のやっていることには干渉しなかったので、夜遅くまで勉強をやっているなあぐらいにしか思っていなかったようで、暖かい眼で私を見ていたのを憶えている。私の漫画好きはその後もつづき、大学生になってから劇画と呼ばれたり、コミックと呼ばれるようになってからも、ファンとして毎週買って読んでいた。

それは50歳を過ぎた今でも続いていて、病がすぎて3年ほど前から漫画の原作をはじめてしまったほどである。私が学生の頃は研究室に漫画を持って入ることは厳禁であったが、今の私の研究室は当然自由に持ち込んでいいのだが、学生や院生同士いろいろな漫画雑誌を交換し合っている姿は合理的というか、ここまできたかという感じをもたされる。

さて、「こち亀」であるが、最近しばらく読んでいなかったのだが、ふと想い出して手にしてみて驚いたのは、画風も内容もまったく変わっていないということだ。良くいうと、スタイルを守りとおしているということであり、悪くいうと進歩がないということになるが、私は敢えて言おう、「偉大なるマンネリズム」だと。作者の秋本治氏とは一体どういう人なのだろうか。計りしれない怪物だ。総じて漫画の作者はテレビなど公開の場に出てこない。ずるいのだ。それでいて億万と稼いでいるのだ。少し私の発掘費用に出してもいいのに、と勝手に恨んでいるのだ。私などは小金のためにテレビには出るは、安い原稿料のエッセイは書くは、日本全国を売れない演歌歌手のように、昨日は福岡、今日は新潟、明日は札幌ところげまわっているというのに、家にいてゆったりと、優雅に画を描いているという漫画家に強い強いジェラシーを感じちゃう。ともかく雑誌に描いているだけじゃ、アシスタントも雇えないんだそうだが、いわゆるコミックと呼ばれている単行本になるとあっという間に大金持ちなんだそうだ。この「こち亀」も単行本100巻、総数数千万部（数えきれない程ということと、実数を示すと読者が秋本氏の家を襲うらしいという予測と、本当は税務署が怖いという説が入りみだれている）というギネスブックもびっくりという怪物なのである。

読んでいて驚くのは、交番に勤務する巡査でありながら、生ぐさい殺人事件とか犯人と撃ち合うといった、いわゆる刑事ものではないということだ。私の青春時代は、「太陽にほえろ」をはじめ、たくさんの刑事ものがテレビに放映されていた。純な、そしてまっしぐらな正義感あふれる若い刑事が、社会の悪と闘って次々と倒れていく様を見て、いつか俺もそうなって社会を正そうとか、私は将来ああいう人といっしょになって社会のためにつくそうなどと、ほざいていたのである。

が、しかし、「こち亀」は同じ警察官なのに、それが感じられないのだ。何か物足りないと感じる人も少なくない。バカな、こんなことでいいのか、国家の安定はどうなる、社会の正義はどこに行ってしまったのだ、許せない、こいつら皆殺しだ、とまでいかなくても、首をかしげてしまうのであるが、読み終えて、そこはかとなく心満たされてしまうのだから不思議である。

ほとんど毎回、話題は下町のおやじさんや、おかみさんとのどうでもいいことに関するからみが中心で、毎回必ずおちがついていて、それ以上は考える余地のない終わり方をしている。それでも毎回が楽しみなのは「何故だ！」。私は別に漫画評論家でないから、そんな分析はする必要はないのだが、交番とか派出所というものに私たちは強い郷愁を持っていて、それの原点をきちんと守ってくれているのが、実はこの「こち亀」だと読者は見ぬいているからなのであろう。

昔から村や町の中心は村役場でなく、派出所だったのだ。「交番物語り」とか「砂の器」なんか見ていても、派出所がそのコミュニティーに大きな役割を果たしていることがわかる。派出所のおまわりさんは、その村のことを全て知っているという安心感があった。そしてまた、一層そうであってほしいと願っている。それをコミカルにドタバタと描くことが、よりポピュラリティを増しているのだと言える。

ともかく作者の秋本氏は一体どういう人材なのだろう。ああもひきもきらず話題が展開するというのは、よっぽどの多趣味なのだろう。88巻目の「究極の贋作…!?の巻」では美術こっとうの真贋について描かれている。私も考古学や美術史を専攻していて、こういったことにはいささか関心が深いのであるが、みごとに美術こっとうの鑑定について、その実態を描いている。その他、13巻の「人間適性検査!?の巻」のように、バイクについてもやたら詳しい。それだけではない。サッカー、スノーモービル、サーフィン、ペットショップ、金融業、暴走族、少女マンガ、もちろん賭事と、何でもありの世界。いいかげんにネタはなくなるだろうと心配する秋本フリークたちの心を介することなく、快調にストーリーは進んでいく。まさしく現代の語り部なのである。

私が個人的に両津巡査が好きなのは、もしかすると作者の秋本氏が自ら両津巡査をして私たちにメッセージを与えてくれているからかなと思うのだ。メッセージは、いろいろな言葉や表現で表されているのだが、その根底に流れている思想は、「冗談じゃねえよ」の精神だと思う。庶民は政治家にも経営者にも学者にも、タレントにもドロボーにも、ともかくこの世で影響を受けている。

得している人たちに一言いうとすると、「冗談じゃねえよ」なんである。「あんたら一部の人のために、俺たちはうんと損しているんだぜ、そこんとこわかった上で生きろよ」と言っているのだと思う。

ともかく20年近く連載が続いているのにもかかわらず、内容や描き方が衰えているどころか、スピード感も増し、テンポもどんどん良くなっていて、毎回一気に読ましてくれる作者の秋本氏に、拍手を贈りたい。どうかこのまま死ぬまで描きつづけてほしい。
ところで一回でもいい、麗子クンみたいな女性巡査に会いたいものだと都内の派出所をのぞくんだが、今のところ会えずじまい。警視庁のおえらいさんに頼んで、こういうヒトを女性巡査に選んでほしいものだ。

掲載作品は集英社より刊行されたジャンプ・コミックス『こちら葛飾区亀有公園前派出所』第78巻（1992年12月）第79巻（1993年2月）第80巻（同4月）の中から、著者自らが精選して収録したものです。

集英社文庫〈コミック版〉2月新刊 大好評発売中

To LOVEる―とらぶる― 7 8〈全10巻〉
漫画・矢吹健太朗　脚本・長谷見沙貴

女子が理想のおっぱいになれるララの発明品が、誤ってリトに命中!?　女の子に変身してしまったリトにHなハプニングが起きて…❤

STEEL BALL RUN
ジョジョの奇妙な冒険part7 **1 2**〈全16巻〉
荒木飛呂彦

舞台は1890年。賞金5千万ドルをかけた乗馬による北米大陸横断レースに、ジャイロ・ツェペリとジョニィ・ジョースターが挑む!

椎名軽穂 恋愛女子短編集Ⅲ
ロケット・ポケット
椎名軽穂

誰かを好き、という自分の気持ちにはっきり気づいた時――。そんな瞬間を思い出させてくれるような短編読み切り4作品を収録です。

集英社文庫(コミック版)

こちら葛飾《かつしか》区《く》亀有《かめあり》公園前《こうえんまえ》派《は》出所《しゅつじょ》 1

1995年 8 月23日　第 1 刷
2017年 3 月 7 日　第34刷

定価はカバーに表示してあります。

著　者　秋《あき》　本《もと》　治《おさむ》

発行者　鈴　木　晴　彦

発行所　株式会社　集　英　社
東京都千代田区一ツ橋 2 − 5 −10
〒101-8050
電話　【編集部】03（3230）6251
　　　【読者係】03（3230）6080
　　　【販売部】03（3230）6393（書店専用）

印　刷　図書印刷株式会社

Printed in Japan

ISBN4-08-617101-5 C0179